Au-delà de
nos limites biologiques

Miroslav Radman
avec
Daniel Carton

Au-delà de
nos limites biologiques

PLON
www.plon.fr

© Plon, 2011
ISBN : 978-2-259-21107-9

Avant-propos

Cet ouvrage s'interroge sur la possibilité de prolonger la vie humaine avec l'allongement de son temps de jeunesse. Mais loin de vouloir assommer le lecteur avec un défilé de considérations scientifiques assenées du haut de ma chaire, je me vois plutôt, à travers ce texte, comme m'invitant chez lui à bavarder autour d'un bon verre de vin ! Il ne s'agit donc pas de littérature, ni de science, pas même de science-fiction, mais plutôt de science-inspiration.

Ma tâche est celle d'un chercheur et d'un « trouveur », non celle d'un écrivain, fût-il scientifique. Si ce livre suscite des discussions sur les capacités de l'homme à transgresser les limites de sa propre biologie, il aura atteint son but : vous initier à des bouleversements à venir que je crois inéluctables.

Au fil de ces pages, en nous appuyant sur des données scientifiques récentes, nous nous poserons la question suivante : aurons-nous le courage d'aller au-delà des limites de la biologie humaine qui est fondamentalement celle des primates – des singes ? Nous avons accepté sans états d'âme de compenser nos handicaps biologiques par les « prothèses » mécaniques, optiques, électroniques et chimiques (les médicaments). Mais nous butons sur les barrières éthiques, philosophiques et religieuses, quand il s'agit de résoudre nos problèmes biologiques par la biologie! On peut argumenter que la pharmacopée classique utilise les produits biologiques, ceux provenant des plantes, champignons et bactéries. Mais, la transplantation d'organes mise à part, on n'ose pas utiliser la biologie et la génétique humaine pour pallier les problèmes biologiques humains. Or, nous savons que parmi les milliards de génomes individuels de l'humanité, nous aurons les moyens d'identifier une résistance génétique à toute maladie humaine, ou presque. Ces résistances se trouvent le plus souvent au niveau de quelques «lettres» du «livre» génétique individuel. Est-il monstrueux d'imaginer qu'on soit un jour l'enfant de l'humanité, au lieu de deux parents? Avec une santé de fer, ou mieux, la longévité comme récompense?

Pourquoi laisser au seul hasard le soin de choisir les rares heureux gagnants de la loterie génétique? C'est comme si l'on décidait de laisser pour toujours le droit à la malchance de choisir les victimes innocentes du handicap génétique. On veut bien tenter la thérapie génique somatique, c'est-à-dire celle destinée à corriger les effets néfastes des mutations héréditaires au niveau des cellules du corps, celles qui ne se transmettent pas. Mais on sanctifie la lignée germinale humaine comme si elle était parfaite pour tout le monde et on laisse tranquillement les maladies héréditaires se propager. Pourquoi?

Ce livre est inspiré surtout par l'idée qu'il est possible de prolonger la vie humaine en bonne santé. On va s'amuser à imaginer les conséquences de cette longévité – celle des jeunes centenaires – au moment où la rue proteste contre le travail au-delà de soixante ans, même si, justement, on est en bonne santé. Les vieillards biologiquement jeunes prendront-ils l'emploi de leurs enfants et petits-enfants, ou pourront-ils être à l'origine de davantage d'emplois pour les jeunes? Sans préjuger l'avenir, le fait est que, jusqu'ici, chaque progrès scientifique et technique majeur a généré d'énormes créations d'emplois.

Je voudrais enfin transmettre, au fil de ces pages, la culture scientifique, l'esprit et la méthode du chercheur. Faire comprendre mon métier. Parce qu'ils n'ont jamais voulu faire cet effort, nos dirigeants n'ont pas su créer une politique de la recherche productive, c'est-à-dire génératrice des découvertes, des surprises, qui changent le monde et la vie humaine. Aujourd'hui, les objectifs de la science ne sont conçus qu'à court terme. Il nous faut être à tout prix rentable – à court terme – pour contenter et rassurer les fonds d'investissement. La conséquence en est que la science devient impuissante parce qu'elle est castrée par la culture corporatiste incompatible avec l'esprit de libre exploration.

«Ma science à moi» est libre comme l'air, mais son éventuelle application doit préalablement passer par la discussion publique, sans préjugés. La liberté de la création et la responsabilité d'action, nous allons en parler dans ce petit livre.

Je me présente

Survivre, voilà le seul enjeu qui compte ! Je me suis accroché à la vie même avant ma naissance. J'ai refusé de me faire avorter ! Ma jeune future mère Vesna se découvre enceinte de moi en 1943, conséquence d'un petit « congé » de son amoureux, robuste pêcheur, alors guerrier partisan en Bosnie, mon père Nikola. Cela se passe dans un minuscule village catholique de pêcheurs, Maslinica (le petit olivier), sur l'île croate de Solta, avant l'évacuation de sa population par l'armée allemande vers Split. Ma mère, pas encore mariée, décide de ne pas donner naissance à son enfant pour ne pas le voir souffrir et disparaître dans les tumultes de la guerre. Elle va recourir aux méthodes que l'on pratiquait alors en cachette dans nos villages pour provoquer l'avortement. Mais j'ai refusé de collaborer.

Je suis né en Croatie le 30 avril 1944 dans la cave de la petite maison de l'oncle de ma mère, dans Kamenita Ulica (rue des pierres), à Split, sous les fracas des bombardements alliés. Au tout début de ma vie, j'ai supporté ce boucan pendant des semaines, d'où mon amour pour la musique douce. Dans un tel remue-ménage, ma mère n'a rien trouvé de mieux que de me donner pour prénom Miroslav : « Celui qui célèbre la paix ! »

À deux ans, j'ai assisté et, d'après les gens présents, même chanté au mariage de mes parents. Ensuite, j'ai connu mon petit paradis : le grand jardin potager sur l'île de Hvar. Je pouvais y jouer sans fin, mener tout seul, avec l'authentique casquette verte des partisans sur la tête, les petites batailles imaginaires que j'ai toutes gagnées. La guerre, les morts et les survivants, la victoire, le communisme nouveau, le culte de Tito, tel fut le décor de mon enfance. Ce décor imposait de célébrer la vie en prenant garde de ne pas la perdre. Tout gamin, je le savais : je devais pouvoir rire de tout. Et puis chanter ! Chaque soir avant d'aller dormir, ma petite famille chantait doucement nos vieilles chansons polyphoniques dalmates à trois voix. Au coucher, nous ne nous brossions pas les dents mais nous chantions rituellement. Rire, chanter, ces deux verbes n'ont plus jamais cessé d'être, pour moi, la formule de survie !

Tout m'intéressait pendant mon enfance. Sans le savoir, je suis devenu autodidacte. Fasciné par les bateaux entrant dans la baie de Jelsa sur mon île de Hvar, à la fin de la journée, une seule chose comptait à mes yeux : être capable de raconter à mes parents quels bateaux j'avais vus. À trois ans, je savais où était inscrit leur nom sur leur coque. Je me les imprimais dans ma petite tête, puis je courais à la maison avant que leur image s'en efface en criant à la porte : « Vite maman, le crayon ! »

Heureusement pour mon éducation, les sacs en plastique n'existaient pas encore. Le seul papier que nous avions était celui des emballages. J'y reproduisais l'image en hiéroglyphes, en demandant : « Quel bateau est-ce ? » Parfois ma mère devinait. « Bakar. » Sinon, il me fallait courir et répéter mon petit stratagème. Ensuite, je suis devenu plus malin. Je découpais le bout du sac en papier, prenais le crayon avec moi, et je copiais. Facile ça ! C'est ainsi que j'ai appris à lire et à écrire à quatre ans. Mes cours de perfectionnement se faisaient par la lecture du journal mural polycopié placardé au centre du village et qui, invariablement, se terminait toujours par ces deux slogans : « Mort aux fascistes », « Liberté au peuple ».

J'ai pu entrer à l'école avant l'âge requis. Ainsi commença cette éducation qui me donnait un pouvoir inattendu : pendant les vacances scolaires dans la petite Maslinica, mes tantes illettrées dépendaient de moi pour la lecture et l'écriture des lettres aux hommes de la famille exilés en Argentine, au Chili ou en Californie. Toutes commençaient par : « Mon cher frère, je vais bien, ce que je souhaite à toi aussi... »

Petit diable, mais très gentil et câlin, j'ai su séduire les mères de mes belles copines du lycée de Split. Leurs filles avaient la permission de sortir le soir « à condition de rentrer avec Miroslav ». Promesse tenue ! Au lycée, le premier enseignement que j'ai reçu de deux ou trois professeurs, et qui est resté gravé au plus profond de moi, est celui-ci : ce que l'on fait est moins important que « comment et avec qui on le fait ». Chaque jour, aussi, je passais au moins cinq heures à faire du sport. J'adorais l'aviron, le basket. Le reste du temps : la guitare, les filles...

J'ai compris bien plus tard que j'avais eu une grande chance pendant mes études, et dans ma profession : il s'est toujours trouvé quelqu'un devant moi pour, sans que je m'en rende compte, m'ouvrir les portes. Je dois beaucoup à la générosité de ceux qui m'ont permis de ne jamais devoir attendre devant ou frapper sur des portes fermées.

C'est ainsi d'ailleurs que je suis entré à Paris à l'Académie des sciences sans jamais avoir envoyé mon CV à quiconque, jusqu'à ce que sa présidente, Mme Marianne Grunberg-Manago, me le réclame. Elle, mon ami l'immunologiste Jean-Claude Weill et surtout l'ancien doyen de la faculté parisienne de médecine de Necker, Philippe Even, m'ont changé la vie en France. C'est grâce à eux que je suis devenu un heureux et fier Français. Les grands personnages scientifiques, Piotr Slonimski, François Jacob, Matt Meselson, Sydney Brenner – avec son hilarant sens de l'humour –, et Max Perutz m'ont fait le privilège de leur amitié, creusant sous mes pieds une immense source d'inspiration et d'aspiration à l'excellence.

Je ne vais pas ici vous raconter plus avant ma vie. Mais il me revient encore cet épisode que je veux vous livrer. C'était en 1986, j'avais passé la quarantaine. Un soir, seul dans ma grande chambre de l'hôtel Grand Palace à Tokyo, j'ai fondu en larmes, des larmes comme celles que pouvait verser l'enfant que j'étais sur son île. Je m'étais rendu au Japon avec une dizaine de grands scientifiques de la planète, invités de la famille impériale nippone, en l'occurrence d'une grande dame, la princesse Takamatsu, sœur de l'empereur. Nous étions accueillis, nous aussi, comme des princes. J'entre donc dans la très luxueuse chambre d'hôtel qui m'avait été réservée, puis, dans la salle de bains, un incroyable endroit ressemblant à une cabine de pilotage d'Airbus. Des boutons sur ma gauche, des manettes sur ma droite. Des boutons pour contrôler la température et l'intensité des jets d'eau de la toilette, d'autres pour l'ambiance, lumière et climatisation, etc. La symphonie du high-tech. Très amusant.

Soudainement, mes larmes se mirent à couler toutes seules. D'un seul coup, je me revis à cinq ans avec une petite pelle métallique et portant jusqu'au logis la braise

14

rouge brûlante de chez la voisine, « tante Kate ». Chaque
fois que la fumée du feu de bois sortait de la cheminée
de la tante Kate avant que la nôtre ne soit activée, ma
mère me pressait de traverser le potager pour aller chercher de la braise afin d'allumer son feu à elle. Pourtant,
elle avait toujours une boîte d'allumettes ! J'ai compris
plus tard que mes expéditions à travers le potager
n'avaient qu'un seul but : l'économie d'une allumette.
Le souvenir de cette allumette épargnée et, trente-cinq
ans plus tard, moi me retrouvant dans ces inimaginables
toilettes farcies de technologie... La brutalité de ce
contraste m'avait rattrapé sans prévenir.

Tout au long de mon enfance, je n'ai jamais vraiment
réalisé que j'étais pauvre. Au contraire, il n'y avait aucun
doute que j'étais un prince puisque l'autorité suprême,
ma mère, m'en avait facilement convaincu. Si je me suis
senti un jour misérable, c'est bien plus tard, alors que
j'étais déjà directeur de recherche au CNRS à Paris. Ce
jour où un huissier s'en vint frapper à ma porte – et il ne
se trompait pas de porte. Malgré tout, et surtout à cause
de mes trois enfants, il m'avait fallu trouver la force pour
résister, survivre et réussir.

En cours de route, j'ai réalisé que la résilience a été
bien plus importante dans ma (sur)vie que le talent ou
l'apprentissage. Si l'on est très actif – et je pense pouvoir
dire que je l'ai toujours été –, les choses arrivent. Des
bonnes. Des mauvaises. Mais il faut toujours être là,
vivant, en bonne santé, toujours aux aguets, pour, au
moment le plus inattendu, être prêt à saisir la chance qui
sourit, la bonne nouvelle qui survient. En bon vivant,
j'ai toujours célébré les bonnes nouvelles et oublié les
mauvaises.

La résilience est aussi un des sujets de ce livre. Mon
père, fort gaillard et brillant pêcheur, m'y a entraîné.

J'étais son rameur sur notre petit bateau de pêche en bois. À douze ans, j'avais beau être maigrichon, ça ne le dispensait pas de me réveiller à 4 heures du matin. Le plus souvent, même sous le brûlant soleil d'été, il ne me faisait pas lâcher les lourdes rames avant midi. À un mille de la côte, une fois les poissons trouvés par cinquante mètres de profondeur, il fallait tenir le bateau au même endroit face au nombre infini de combinaisons des directions et des vitesses du vent et du courant marin. Sinon, le tonnerre de mon père tombait sur moi. Sa voix à cent décibels me donnait des palpitations. La complexité de cette tâche n'a jamais trouvé d'équivalent plus tard, même dans mes recherches scientifiques ! Mais mon père avait un sens pédagogique très personnel. Lorsque je suis devenu docteur ès sciences à l'université de Bruxelles à vingt-cinq ans, il m'a complimenté ainsi : « Ceux qui t'ont donné le doctorat sont plus fous que toi ! »

Chez moi, en Dalmatie, à Split en particulier, on paye très cher la tentation d'attraper la grosse tête. La cruauté verbale y est érigée en art. Il faut avoir le sens de l'humour et, surtout, de l'autodérision pour y survivre. J'espère que cela excusera ma liberté « poétique » et l'esprit provocateur que vous trouverez dans ces lignes tout en ayant le souci de ne pas me répéter, afin que ni vous ni moi ne mourions d'ennui.

Je vous présente mon livre

Vous avez maintenant une idée de ma relation intime, prénatale et postnatale, avec la survie. À mon âge, le thème de ce livre s'impose. Depuis 2004, j'étudie un aspect fondamental de la vie très peu observé : sa robustesse ! J'ai voulu également faire des recherches sur ses limites. Savoir s'il serait un jour possible de prolonger la vie, de prolonger la jeunesse. J'ai voulu savoir si un jour viendrait où il nous serait permis de faire marche arrière, de rajeunir ! Le but véritable n'étant pas de vivre longtemps, mais de vivre intensément !

Rêver avec en tête cette seule question : « Que se passerait-il si... » C'est l'écriture d'un scénario qui pourrait devenir réalité, un exercice de préparation pour un futur, peut-être pas si lointain. Car les recherches très récentes de trois laboratoires, dont le mien, viennent d'élucider la base moléculaire de la robustesse de la vie, et nous sommes surpris par la simplicité avec laquelle certaines espèces rares deviennent extrêmement robustes. « Increvables ».

Il s'agit de produire dans les cellules un cocktail des petites molécules qui protègent la machinerie fonctionnelle cellulaire contre les dégâts qui arrivent – on le pensait – inévitablement. C'est pourquoi les scientifiques se sont concentrés sur les recherches des mécanismes de la réparation des dégâts moléculaires. Or le plus simple est de prévenir, d'empêcher les dégâts sur les molécules réparatrices qui, dès lors, seront en meilleur état et, en plus, seront moins sollicitées ! C'est exactement ce qu'a donné la sélection naturelle dans les conditions extrêmes : la prévention par la protection plutôt que l'investissement exclusif dans la guérison (thérapie) au niveau des réparations moléculaires.

De quels dégâts s'agit-il ? Apparemment des dégâts oxydatifs – la corrosion, la rouille du matériel biologique – frappant sa machinerie fonctionnelle, les protéines. Depuis longtemps, on sait que l'oxygène est une chance mais aussi une menace pour la vie. À forte dose, il tue. On a découvert que les molécules protectrices sont universelles : celles des espèces robustes protègent aussi celles des autres espèces. Il devient possible d'imaginer la protection de nos propres cellules par une «potion magique» isolée et prélevée à partir des bestioles robustes. En d'autres termes, nous pourrions capter et utiliser à notre profit ce qui permet à d'autres espèces de vivre longtemps et en pleine forme.

La formidable espérance suscitée par cette possibilité ne doit pas occulter les questions qu'elle soulève : voulons-nous vraiment vivre plus longtemps en pleine forme? Est-ce que ce sera donné à tout le monde ou de façon sélective? Que pouvons-nous gagner individuellement et que pourra y gagner la société? Car si notre approche ne réussit pas, une autre, un jour, n'en doutons pas, réussira.

Pour nos sociétés, il y aurait bien des bénéfices à retirer de ces recherches sur l'antivieillissement. Notamment ceux concernant directement les personnes avec une longévité saine, mais aussi ceux de la Sécurité sociale, car la plupart de nos maladies sont directement liées à l'âge. Si l'on supprimait ces maladies, les hôpitaux n'abriteraient plus alors que des services de spécialités traumatologiques pour les accidentés (ski, voiture, feu...) et les suicidés.

S'il n'y a aucune bonne raison biologique de vivre deux cents ans, y a-t-il des raisons culturelles? Imaginons l'évolution culturelle d'une société d'hommes et de femmes de cent ou cent cinquante ans, jeunes mentalement et physiquement, avec une expérience de la vie et une expérience professionnelle immenses? Une société avec beaucoup plus de gens culturellement productifs que biologiquement reproductifs? Serait-ce une mauvaise perspective? Seront-ils des freins, en conservant les traditions ou, grâce à leur expérience, des accélérateurs des arts, des sciences et de l'aptitude à vivre ensemble ?

Et, pour ne jamais oublier que tout cela ne constitue que des projections imaginaires et incertaines, il faut apporter une dose chronique d'humour ! Mon ami, le Dr Zoran Dermanovic, m'a posé une question pratique et impertinente : pourquoi se limiter seulement aux aspects politiquement corrects ? Si l'on trouve les substances anti-âges ou, même, l'élixir de jouvence, il doit être facile de trouver leurs antidotes avec un traitement vieillissant ! Entendez alors le jugement d'un redoutable criminel : cette honorable cour vous condamne, M. X ou Mme. Y, à *deletio vitae partialis* (bref, raccourcissement de la vie) de vingt ans ! Puis, en cas d'erreur judiciaire avérée, on pourrait toujours faire alors bénéficier le condamné de vingt ans de rajeunissement. Formidable ! Voilà la fin de l'engorgement des prisons...

Nous allons donc ici tenter de toucher au fond de certains aspects de la nature humaine en ne nous dispensant pas d'en sourire. Car l'humour est précieux. Il joue un rôle primordial dans la lutte pour la survie. Rarement on a généré autant d'humour noir que dans Sarajevo durant les quatre ans de siège et de bombardements assassins. Sérieux sont seulement les privilégiés ayant peur de perdre les privilèges qu'ils n'ont pas mérités.

Profondément curieux et insatiable de nature, dès que mes recherches originales étaient établies (« mainstream », comme on les appelle maintenant), je les abandonnais pour me mettre en danger comme un débutant dans un autre domaine. Par exemple, je suis à l'origine de la découverte du « système SOS » (encore, le sauvetage de la vie en danger !) et d'un des systèmes de correction des erreurs génétiques, mais quand une centaine de laboratoires se sont mis à travailler sur ces sujets, j'ai déserté. Je suis parti chercher ailleurs. Vers ce vaste chantier du vieillissement, avec en tête cette seule et lancinante question : « Est-il concevable de prolonger la vie humaine saine ? » La réponse est clairement oui. Pour quoi faire ? On en discutera car le sujet est intéressant, mais aussi et surtout, il peut être amusant. On ira aussi loin qu'imaginer, le temps finalement venu, comment on peut mourir joyeusement, très vieux, par un ultime orgasme d'intensité mortelle... !

Est-il scientifiquement déplacé de parler de prolongation de la vie humaine saine et d'abuser du temps des lecteurs ? Je ne suis pas sûr. Imaginez une souris plutôt éduquée qui se demanderait s'il est théoriquement possible de vivre plus que deux ans et demi son espérance de vie moyenne ? Mais, bien sûr que oui, dira-t-elle, regardez l'espèce humaine, surtout les femmes, mammifères comme nous, qui vivent trente à quarante fois plus longtemps ! Et puis elle en viendra même à se souvenir qu'il existe une espèce de rat sans poil qui vit vingt-huit ans ! Donc, c'est bien possible ! Mais la nature ne se soucie guère des désirs des souris et des hommes de vivre longtemps une fois achevé le temps de la reproduction. Or nous, les humains, nous nous aimons et nous sommes bien capables de continuer à nous aimer bien après l'arrêt des cycles hormonaux de la reproduction.

C'est pourquoi nous n'aurons d'autres choix que de ruser avec la nature. Légitimement, car chaque espèce vivante repousse depuis longtemps les limites de ses capacités. L'homme n'est pas une exception. Il triche déjà : lunettes, prothèses, médicaments de toutes sortes. Nous disposons d'un grand répertoire pour renforcer les capacités humaines par des moyens mécaniques, électroniques et chimiques afin de neutraliser nos handicaps biologiques et renforcer nos aptitudes innées. Bref, jusqu'à maintenant, nous avons tout fait pour éviter le handicap et la mort naturelle. Il suffit de continuer de tricher à l'aide de la science actuelle ! Nous sommes fiers de pouvoir pallier les problèmes biologiques de l'homme. Or, les interventions biologiques rencontrent une résistance philosophique largement irrationnelle. N'est-il pas sensé de vouloir résoudre les problèmes humains biologiques en appliquant les connaissances de la biologie ?

Aujourd'hui, et c'est très encourageant, la vie humaine s'allonge régulièrement de six heures par jour sans que l'on sache exactement pourquoi ni comment. Ainsi, prolonger la vie humaine n'est pas impossible puisque cela se passe déjà ! La seule question fondamentale qui nous est posée se résume en somme à celle-ci : sommes-nous prêts à accélérer ce processus ?

LA RÉALITÉ DE L'IMMORTALITÉ

1

La science du vieillissement

Le vieillissement implique la coïncidence de deux critères. Le premier est que la probabilité de la mort à n'importe quel âge augmente avec l'âge. Cette définition statistique s'applique à toute espèce, de la bactérie ou de la levure jusqu'aux mammifères. Elle reflète la nature progressive et multiplicative du vieillissement. On dit que le taux de mortalité augmente exponentiellement avec l'âge. Par exemple, la probabilité de mourir double chez l'homme tous les huit ans. Cela veut dire qu'à soixante ans la malchance de mourir dans l'année qui suit est de 32 fois plus grande qu'à vingt ans. À cent ans, elle est de 1 024 fois plus grande qu'à vingt ans ! Le second critère est que les changements apparaissent chez tous les individus sous forme de diverses déficiences psychologiques et apparentes : rides, cheveux blancs, diminution de la souplesse et de la vitesse des mouvements, etc. La maladie et la mort touchent, elles, seulement une partie de la population.

Aussi, lorsqu'on entend parler de l'extension de la vie humaine ou d'une autre espèce, est-il utile de distinguer s'il s'agit des changements de la durée moyenne de la vie ou de la durée maximale de la vie ? Par exemple, la durée moyenne de la vie humaine a doublé depuis le XIXᵉ siècle essentiellement par la diminution de la mortalité infantile due aux maladies infectieuses et ce, grâce à l'amélioration des conditions de vie, non à cause d'un changement intrinsèque de la biologie humaine. En revanche, l'augmentation de la durée maximale de la vie signale bien, elle, un changement de la biologie humaine. La biologie de Mme Jeanne Calment, l'ancienne doyenne des Français et du monde morte à cent vingt-deux ans, est significativement différente de la biologie d'une personne éduquée et riche morte à trente ans d'une pneumonie ou d'un cancer. Si la durée de vie moyenne et maximale augmente – ce qui est, j'imagine, souhaité par chaque membre de la population humaine sauf celles qui souffrent de tendances suicidaires –, on doit considérer qu'il s'agit d'un changement de la biologie humaine. Cette possibilité, ou option, sera amplement discutée.

Plusieurs voies d'étude du vieillissement sur des organismes aussi différents que la bactérie, la levure, un champignon, un ver microscopique, une mouche, la souris ou l'homme nous ont conduit vers une meilleure compréhension des mécanismes du vieillissement. Les approches étaient aussi très différentes : étude des gènes impliqués dans le raccourcissement ou la prolongation de la vie, syndromes héréditaires qui prédisposent à un vieillissement accéléré (les progérias), conditions physiologiques qui prolongent la vie des animaux telles que la restriction calorique, par exemple. La plus importante de ces approches est peut-être la découverte des mutations (qui généralement sont les handicaps génétiques) dans un gène spécifique qui doublent la vie maximale d'animaux qui restent en bonne santé. Dès lors s'est imposée la question de savoir si cela était aussi possible pour nous, et pas nécessairement par mutation.

La plus spectaculaire et la plus « moléculaire » découverte en relation avec le vieillissement – couronnée en 2009 par le prix Nobel décerné aux trois chercheurs Elizabeth Blackburn, Carol Greider et Jack Szostak – est celle qui a montré sur des cellules animales et humaines que la cause de l'arrêt final de la division cellulaire est le raccourcissement de bouts de chromosomes appelés les télomères. Les télomères sont les séquences de l'ADN. Ils protègent les bouts de chromosomes par leur structure « fermée », repliée sur elle-même comme une épingle à cheveux, grâce à une séquence répétitive (comme abcdabcdabcd...). Leur perte laisse les bouts chromosomiques « ouverts » comme des blessures moléculaires signalant à la cellule l'arrêt de la division. Les télomères se raccourcissent progressivement à chaque duplication des chromosomes pour finir par disparaître, car l'activité de la protéine qui synthétise le télomère (la télomérase) diminue progressivement chez les cellules différenciées. La cellule à chromosome sans télomère ne se divisera plus, et souvent elle mourra par suicide programmé. La raison pour laquelle les cellules cancéreuses n'arrêtent pas leurs divisions est que la malignité implique aussi l'activation de la télomérase ! À la fin de 2010, les chercheurs ont montré que le destin cellulaire, mortel par la perte de la télomère, est réversible par activation artificielle du gène de la télomérase. Donc, encore de l'espoir ! Mais, pourquoi la télomérase s'éteint-elle chez les cellules différenciées normales et pas chez les cellules embryonnaires (ou souches) et tumorales, cela reste une question clé qui attend la réponse. J'en ferai une proposition dans ma tentative de réduire le vieillissement en m'attaquant à sa cause principale.

Chaque système expérimental, chaque approche expérimentale, mène à un modèle différent. On a vu le cas où la télomérase est centrale au vieillissement. Les autres protéines vedettes sont les sirtuines découvertes dans la levure mais existant aussi chez l'homme. Les sirtuines bloquent l'expression de certains autres gènes et protègent contre une bizarre instabilité génétique menant à une déficience fonctionnelle. Le klotho, du nom de la déesse grecque qui tisse le fil de la vie, est une hormone protéique qui affecte le métabolisme énergétique et oxydatif. Quand il y a un déficit, la vie est raccourcie. Si l'on en rajoute davantage, elle est prolongée. Les mitochondries – organelles où l'énergie biologique est produite et où les radicaux libres[1] d'oxygène sont générés et libérés – sont certainement impliquées dans le vieillissement. D'un champignon à la souris, on montre que des défauts dans les mitochondries peuvent accélérer le vieillissement. Puis, il y a les insultes. Par exemple, les insultes photochimiques (rayons solaires), radiochimiques, les produits toxiques, etc., peuvent accélérer le vieillissement en général par formation de radicaux libres agressifs. Ce qui compte, surtout, c'est l'état des mécanismes cellulaires de défense contre les dégâts chimiques. C'est même déterminant pour le sort de la cellule ou de l'organisme vieillissant.

Alors, est-ce trop compliqué? N'y a-t-il pas d'espoir qu'on comprenne bientôt le vieillissement? Pas nécessairement. C'est même peut-être le contraire : banalement simple! Car si, pour chaque machinerie peu compliquée, il y a mille façons de l'abîmer ou de la

---

1. Les radicaux libres, créés par les fortes concentrations d'oxygène, sont des atomes ou groupes d'atomes possédant un ou des électrons périphériques «célibataires» et non pas des doublets stables et qui sont alors avides de reconstituer des doublets, et dès lors hautement réactifs et souvent toxiques pour les molécules environnantes, auxquelles ils arrachent des électrons par oxydation, toujours exothermique et dangereuse. En oxygène pur, toutes les cellules meurent.

détruire, ça ne veut pas dire pour autant que dans la réalité de la vie n'importe quelle cause possible peut intervenir. On peut immobiliser la voiture à l'aide d'une massue, mais la massue est rarement la cause des pannes de voiture. Or, les chercheurs «vendent» leurs recherches comme si cela était le cas, en expliquant que leur massue est la cause du vieillissement. On apprend peu des expériences sur le vieillissement naturel si, pour ce faire, on détruit une fonction cellulaire qui marche bien. Les mutations ou les conditions physiologiques qui prolongent la vie sont scientifiquement plus intéressantes. Construire une voiture capable de parcourir cinq millions de kilomètres est intéressant, la massue ne l'est pas !

Il y a des questions plus pertinentes que les autres. Par exemple, est-ce que les cellules de tous les organes vieillissent de la même façon? Nombreux sont les organes où les cellules doivent se renouveler, comme le sang, la peau, l'intestin, le poumon. Ou bien les cellules du système immunitaire dans la moelle osseuse qui ne cessent de se diviser. Ou encore celles d'organes dont la perte des cellules souches épithéliales progénitrices provoque une dégradation rapide de l'épithélium et du système immunitaire avec comme conséquence la perte de la protection de l'organisme et de sa beauté. Mais il y a d'autres organes importants comme le cerveau (spécifiquement les neurones), le cœur, l'endothélium vasculaire, les muscles moteurs, etc., où les cellules se divisent très rarement ou pas du tout.

Certaines de nos cellules reçues à la naissance vont donc pousser en taille mais pas en nombre. Pas de renouvellement par la division! Alors, comment vieillissent ces cellules-là? Pas par la perte des télomères puisqu'il n'y a pas de duplication des chromosomes, pas de raccourcissement des télomères. Or les crises cardio-vasculaires et les démences, ça nous concerne quand on a la chance de pouvoir vieillir.

Finalement on doit, et on va, se poser la question : en dehors de la curiosité des chercheurs, à quoi servent les recherches sur le vieillissement ? À développer les interventions thérapeutiques afin de ralentir, arrêter ou peut-être renverser le vieillissement chez l'homme ? Est-ce bien souhaitable ? Et pour qui ? Moi ou « les autres » ? Quel délice éthique, n'est-ce pas ?

L'ADN revisité

La science de la biologie moléculaire était intellectuellement dominée par la notion de l'information, son stockage, sa transmission et son évolution sous forme d'un code-barre de trois milliards de « nucléotides » de quatre types différents (A, T, G, C) dans les acides nucléiques : l'ADN pour les organismes cellulaires et l'ARN pour certains virus. Mais l'information biologique est importante à la vie seulement dans la mesure de sa réalisation – sa translation en fonction biologique portée par les protéines. L'ADN est le programme et les protéines sont les « ouvriers » qui réalisent ce programme. Donc, même si le programme, l'ADN, est intact, sa réalisation peut se dégrader par des perturbations, par les dégâts chimiques directs aux porteurs de la fonction que sont les protéines.

L'architecte peut dessiner le projet d'une parfaite maison, mais l'incompétence de l'ingénieur, maître du chantier, ou des ouvriers, voire un budget trop serré, peuvent aboutir à la construction d'une maison minable. Dans le cas de la vie, l'architecte (l'ADN) est le « designer » du personnel exécutant (protéines) et le dépositaire du budget énergétique (protéines des mitochondries). Il protège et sécurise. Il ne fait rien mais il contrôle, en principe, tout. Notre ADN est le maître de notre destin ! Le problème est qu'il n'est pas parfait. « Rien n'est parfait », dit le renard dans *Le Petit Prince*.

Comme les mutations dans l'ADN sont très rares et dispersées dans le génome, il est improbable que les mutations frappent les mêmes gènes dans la majorité des cellules pour que le fonctionnement de l'organisme entier vieillisse exclusivement à cause des mutations. D'ailleurs, toute mesure de mutations chez les organismes simples ou complexes, comme les humains, montre une très légère, parfois négligeable, augmentation des mutations avec le vieillissement. Donc les problèmes fonctionnels dans la majorité des cellules – caractéristiques du vieillissement – sont vraisemblablement dus à la dégradation de la qualité des protéines sans que les mutations dans les gènes qui les déterminent soient sa cause directe. De quoi s'agit-il ?

La maladie est souvent la conséquence complexe d'insuffisance initiale d'une seule et même protéine pour la majorité, ou une grande partie, des cellules d'un organe, tandis que le vieillissement et la mort naturelle sont les conséquences d'une dégradation progressive des fonctions portées par beaucoup de protéines. On a pu mesurer la diminution des activités enzymatiques avec le vieillissement chez plusieurs espèces animales, dont certains mammifères. Comment un défaut d'une même protéine dans la majorité des cellules pourrait-il se manifester à un âge avancé sans que soit en cause l'apparition de nouvelles mutations dans les gènes qui déterminent la structure de cette protéine ? Nous allons considérer plus loin cette possibilité.

Les «experts»

Les chercheurs ont du toupet : ils déclarent compliqués les phénomènes qu'ils ne comprennent pas. Au lieu de dire «je ne sais pas», ils disent, parce qu'ils ne comprennent pas, «c'est très compliqué». Donc le vieillissement est très compliqué. Ils en déduisent logiquement mais faussement : comme les manifestations du vieillissement sont complexes, les causes du vieillissement le sont aussi. Des demandes du financement de projets de recherche ont été refusées par les comités scientifiques qui ont déclaré : «Le candidat simplifie trop ; on sait que le vieillissement est bien plus compliqué que ça. »

Excepté leur ignorance, ils n'ont aucun argument pour se montrer aussi péremptoires, car il est possible que la cause du vieillissement soit simple mais qu'elle échappe à notre analyse ou à notre imagination. Il y a certainement des raisons valables à refuser tel ou tel projet, mais ce ne sont pas celles que fournissent les comités d'experts.

Si du point de vue des détails techniques, les «experts» sont souvent raisonnables, en stratégie générale et en logique de base ils sont souvent fragiles. La majorité de ces experts ne savent pas prendre le temps d'élaborer les stratégies de leurs propres projets. Ce qui les intéresse, c'est le succès immédiat, pas la science. Cela, c'est le résultat d'une sélection, par le biais du financement, de recherches censées être d'utilité immédiate, ce qu'elle sont rarement car elles sélectionnent les chercheurs conformistes démunis d'audace et de passion. On doit à la culture corporatiste que les projets des recherches pour le financement public ressemblent aux

« business plans » industriels (plus volumineux et insensés) et que les chercheurs passent au moins la moitié de leur temps à écrire ces projets sans envergure.

Je livre au public une « bonne raison » de se débarrasser de cet exercice. Qu'on demande des projets dans le domaine de l'ingénierie, de la technologie et même qu'on les « programme », soit, mais il ne s'agit pas de science créative. Ce n'est pas de la recherche fondamentale, la seule vraiment originale et source des grandes percées imprévisibles, et donc non programmable. Programmer toute la recherche, c'est l'éteindre. Et on s'étonne du déficit des innovations. Il y a une simple formule pour y remédier : si, par la qualité de ses publications, le chercheur a montré compétence, originalité et productivité au cours des cinq à dix dernières années, on lui donne l'argent pour qu'il continue encore cinq ans, puis on répète alors l'évaluation sur les mêmes critères. Sans lui demander aucun projet, car, s'il a une grande idée, soit il la cachera, soit, s'il se découvre, il la verra rejetée pour sa trop grande audace. Les jurys refusent de prendre des risques avec l'argent public. Ils jouent « placé », pas gagnant. Voilà cinquante ans que les plus grands le disent.

La logique du vieillissement et de son contraire

Revenons sur le vieillissement. Mon propos est ici que même s'il y a une cause simple du vieillissement, les conséquences doivent être complexes. Même pour une série de voitures du même modèle, fabriquées avec les mêmes matériaux, le même jour, sur la même chaîne de production robotisée, il n'y aura pas la même panne, le même jour ou au même kilométrage sur toute la série.

Et pourtant, ces voitures sont bien plus simples que les organismes humains, elles sont «clonées» à l'identique, ce qui n'est pas notre cas. Donc, on s'attend *a priori* à une complexité des manifestations du vieillissement humain et ça n'a rien à voir avec la complexité des causes.

Continuons par une question clé et simple posée par mon collègue et ami Antoine Danchin de l'Institut Pasteur : comment se fait-il que les bébés naissent bébés même quand ils sont fabriqués par des organismes déjà âgés ? Par exemple, ma dentiste a donné naissance à cinquante-huit ans à deux bébés jumeaux en pleine forme. La fécondation est faite avec le sperme fabriqué par son mari à l'âge de soixante-quinze ans : cent trente-trois ans parentaux ! De toute évidence, les organismes âgés sont capables de produire la jeunesse. Comment ? On ne le sait pas. Et ensuite, pourquoi ne se servent-ils pas de cette capacité à produire la jeunesse pour rester jeunes eux-mêmes ?

Une première explication est que le bébé se construit par expression de ses propres gènes, pas de ceux de ses parents, et que les gènes de ceux-ci vieillissent sans qu'on sache comment. Une autre explication, que je préfère, est que les protéines fabriquées au cours de la croissance de l'embryon sont toutes nouvellement synthétisées donc fonctionnellement jeunes. Quand la qualité des protéines qui fabriquent toutes les autres protéines, y compris celles qui réparent et maintiennent en fonction les molécules clés de la vie, est bonne, on continue à fabriquer de bonnes protéines, on se débarrasse des mauvaises, et on reste jeune pour un bon bout de temps. Combien de temps ?

Combien de temps ? Clairement, l'espèce va à l'extinction quand les organismes commencent à vieillir et mourir avant d'accomplir la reproduction. La théorie évolutive du vieillissement dit qu'après la reproduction, il n'y a aucune pression sélective biologique pour la durée de vie infertile, au moins en ce qui concerne les animaux sans héritage culturel, c'est-à-dire sans transmission de l'expérience. Mais, par la même logique darwinienne, si la nature ne s'intéresse pas aux individus une fois la reproduction passée, il n'y a rien non plus qui s'oppose à leur vie «postreproductive», sinon que ces «vieux» sont responsables de la consommation des ressources de leurs enfants et petits-enfants. Ici, on entre dans le domaine de la «sélection de groupe» détestée par les évolutionnistes. Pas par moi. Soit on oublie l'argument et rien ne s'oppose activement à une très longue vie, soit on pousse l'argument comme suit. Dans une société où la connaissance augmente exponentiellement, l'acquisition de ces immenses connaissances et surtout l'expérience de la vie acquise grâce à elles favorisent les individus âgés. À condition évidemment que ces vieux évitent le gâtisme ! Et voilà le plus justifié des projets : «Staying alive» – vivre longtemps en pleine forme ! Si la sélection de groupe ne marche pas dans l'évolution biologique – ce dont je doute –, elle marche pour l'évolution culturelle. Qu'en pensez-vous ?

La corrosion moléculaire comme l'horloge de la vie ?

Après le résumé des tendances actuelles dans la biologie moléculaire du vieillissement, nous allons également résumer les études très récentes de la biologie moléculaire des espèces robustes afin de nous demander comment cette robustesse a pu leur permettre de se jouer de la fragilité des espèces standard. Hélas, il n'y a pas encore eu des recherches moléculaires sur les espèces immortelles telles que l'hydre ou la méduse *Turritopsis nutricula*. Nous ne faisons que commencer. Les recherches sur les organismes robustes nous ont conduits à la conclusion que le vieillissement et la mort surviennent à la suite de la diminution de la qualité du protéome (l'ensemble des protéines d'une cellule ou d'un organisme) provoquée surtout par le dégât oxydatif plus communément appelé corrosion. L'accumulation des dysfonctionnements cellulaires est probablement la conséquence du mauvais fonctionnement des protéines, en particulier de celles qui sont impliquées dans la réparation et la maintenance moléculaire. D'où vient alors la résilience des espèces robustes ? Les recherches dans le laboratoire de Michael Daly aux États-Unis et dans le nôtre à Paris ont pu identifier la cause première de la dégénérescence fonctionnelle conduisant à la mort cellulaire. L'identification d'un système non enzymatique de protection contre les dégâts oxydatifs touchant les protéines comme facteur clé de la robustesse biologique extrême de la bactérie *Deinococcus radiodurans* suggère que l'horloge de la vie des organismes se trouve au niveau de la qualité des protéines.

Je vais m'aventurer ici dans l'élaboration d'une problématique de santé publique et des maladies liées à l'âge, qui implique d'abord des mesures biochimiques diagnostiques de la qualité du protéome – une sorte de bio-gérontométrie. Ce point de vue engage l'approche individualisée d'une médecine préventive active. Si elle aboutit et nous sommes encore loin de la certitude, cette prévention ou protection biologique naturelle pourrait prolonger la vie saine de la population humaine et allonger la durée de vie maximale.

Quelle est cette chimie du vieillissement et de la mort – l'horloge de la vie – que j'ai annoncée et qui devrait intégrer toutes les recherches sur le vieillissement? Actuellement, le meilleur candidat est la corrosion ou l'oxydation du matériel biologique clé, surtout celui qui assure le fonctionnement cellulaire – les protéines. Télomérase, sirtuines, klotho, systèmes de la réparation de l'ADN, du nettoyage biochimique et du remplacement des protéines non fonctionnelles sont tous eux-mêmes des protéines sujettes à la corrosion. En mesurant le niveau d'oxydation des protéines, Earl Stadtman et ses collègues aux États-Unis ont trouvé, déjà en 1988, qu'il augmente exponentiellement avec l'âge comme la morbidité et la mortalité. Mais on ne savait pas si cette oxydation était la cause ou la conséquence du vieillissement. Nos propres recherches ont prouvé qu'elle en est la cause, que le vieillissement correspond à une dégradation des fonctions vitales provoquée par la corrosion des protéines, au moins pour les bactéries et petits animaux.

Nous savons davantage encore : les petites différences d'un seul acide aminé sur une protéine entière faisant partie du fameux «polymorphisme humain» suffit pour la rendre dix fois plus vulnérable à l'oxydation. Et là se joue le destin de chaque individu : la vitesse du «vieillissement» de chaque protéine qui, d'après son importance vitale, va déterminer le sort de l'individu.

Une nouvelle approche du vieillissement

La stratégie fondamentale à la base même du développement de la biologie moléculaire est fondée sur l'étude des conséquences fonctionnelles (phénotypiques) des mutations dans un gène, parfois dans deux ou trois, chez

37

les organismes portant cette mutation. Cette approche révèle le fonctionnement des gènes chez les organismes normaux («type sauvage») mais ne nous apprend rien sur les possibilités d'amélioration des performances de ces organismes normaux. Appliquée aux problèmes de la santé humaine, l'approche classique de la biologie nous apprend beaucoup sur les causes des maladies génétiques héritables et sur les principes de la correction éventuelle de ces défauts génétiques rares et spécifiques, mais elle ne nous apprend rien sur les causes des variabilités interindividuelles dans l'émergence des maladies liées à l'âge, et sur la survenue de la mort, dans la population humaine tout entière.

En revanche, on pourra mieux comprendre les limites de la résilience et de la longévité des espèces en étudiant les organismes mutants, ou espèces rares, aux performances supérieures (résilience, longévité) à celles des espèces standard, telle l'espèce humaine. Les espèces robustes, ou les espèces quasi immortelles (car elles existent), ont dû évoluer de façon à déjouer les «goulots d'étranglement» responsables de la fragilité, et des limites de la longévité des espèces standard. Ces considérations me poussent à proposer une nouvelle approche pour étudier et comprendre le vieillissement, approche qui ne s'oppose pas aux résultats des recherches antérieures. Au contraire, elle les intègre dans le réseau des conséquences attendues et explique pourquoi toutes les maladies liées à l'âge augmentent avec l'âge de la même façon exponentielle, comme si elles avaient une cause commune. S'il nous était possible d'intervenir sur cette cause commune, l'effet devrait se manifester sur toutes les maladies liées à l'âge. Ainsi, l'approche proposée nous offre une possibilité d'intervention dans le domaine de la santé publique et de la longévité humaine *via* la prévention de toutes les maladies liées à l'âge.

Tout système dont toutes les parties sont remplaçables peut devenir immortel à condition qu'il y ait disponibilité illimitée de l'énergie nécessaire aux remplacements. La lignée germinale est pratiquement immortelle et le soma (corps) est mortel. Le soma est non seulement le vecteur (porteur et transmetteur) du génome de la lignée germinale mais son fonctionnement (phénotype) est aussi soumis à la sélection naturelle. C'est ainsi qu'évolue la vie.

La sélection naturelle imposée par l'environnement est le tueur potentiel externe du corps (soma) et par suite de son génome (lignée germinale) si la mort du soma survient avant la reproduction, c'est-à-dire avant la transmission de la lignée germinale dans un nouveau soma. De l'autre côté, les déficiences métaboliques et les cancers sont de potentiels tueurs internes du soma. Comme les tumeurs évoluent par mutations somatiques, le taux des mutations doit être suffisamment bas pour assurer la survie reproductive qui ensuite fera face à la sélection environnementale. C'est la phénoménologie de base de la vie comme nous la comprenons aujourd'hui.

Le problème de la santé humaine, c'est-à-dire du « fitness », et de la longévité du soma humain peut être considéré de ce point de vue. Si la lignée germinale est par nature « égoïste » (R. Dawkins), la conscience de soi et l'évolution culturelle font que le soma humain est aussi devenu « égoïste » et cherche à prolonger son existence bien après que la reproduction a été assurée, et cela par l'hygiène, la bonne nutrition, la vaccination et la médecine. La bataille contre la mort, menée par les innombrables espèces, suggère un large spectre de moyens applicables à l'espèce humaine. Nous présentons ici un élargissement possible de ce spectre. Ce projet est ciblé vers l'exploration des mécanismes et vers le développement de méthodes de mesure de la « qualité biologique » (fitness) du corps humain qui, finalement, est la donnée déterminante de sa santé et de sa longévité. La stratégie de la recherche est d'étudier les rares organismes robustes et immortels afin d'apprendre comment ils ont surpassé les difficultés qui causent par ailleurs la fragilité et la mortalité d'autres organismes, humain inclus.

2

Les éprouvettes du miracle

L'horloge biologique humaine
ou comment décompter le temps qu'il nous reste...

Il existe une horloge biologique d'espèce (chaque espèce ayant des espérances de vie différentes), et probablement une horloge biologique de chaque individu, plus difficile à déterminer. En moyenne, nous vivions trente à quarante fois plus longtemps que la souris. Avec des records. Jeanne Calment est morte en 1997 à l'âge de cent vingt-deux ans. De 1989 jusqu'à sa disparition, elle fut non seulement la doyenne des Français, mais aussi celle de l'humanité. Elle a vécu deux, trois, quatre fois plus que d'autres personnes qui, à l'âge de vingt ans, devaient pourtant avoir l'air en aussi bonne santé que la demoiselle Jeanne. J'aurais bien aimé connaître la chimie du tic-tac de cette très vieille dame ! Était-elle équipée d'une horloge particulière et finira-t-on par savoir un jour qu'à la naissance nous est attribuée une unique horloge personnelle ? Le fait que cette dame était résistante à toutes les maladies mortelles plaide plutôt en faveur d'une cause commune de toutes les maladies associées à l'âge.

Voilà, c'est ainsi que démarre un travail de recherche. La question d'abord, originale et ambitieuse si possible, et puis les hypothèses pour expliquer le « comment ? ». Pour me faire mieux comprendre, je vais ici présenter mon tout dernier projet, en relation directe avec l'horloge biologique humaine, appelé modestement dans mon esprit : « La biologie du destin humain ».

Je compte bien m'amuser avec ce projet car il y aura beaucoup de travail à faire pendant des années – peut-être sans résultat ! À mon avis, c'est de loin mon plus original et important projet, c'est pourquoi je ne pourrai peut-être pas compter sur l'Agence nationale française de la recherche ni même sur les fonds européens pour son financement. Mais j'en serai fier, avec ou sans financement. La commission d'experts trouvera que c'est « trop ambitieux », que le « management » n'est pas suffisamment précis – je les vois déjà venir. Et qu'est-ce qui se passera ? Ça aussi, je le vois venir : les Américains vont s'emparer de mon projet, soit pour le faire aboutir et tresser leurs propres lauriers, soit pour me couper la tête et décréter que je me suis trompé. C'est une éventualité, fort peu agréable, il est vrai, mais peu m'importe. Si seulement on avait l'efficacité américaine !

Imaginons – soyons fou jusqu'au bout – que je ne me trompe pas ! Alors je puis affirmer qu'un tel projet, une fois arrivé à son terme, changera fondamentalement la santé publique et le bonheur individuel.

Je crois pouvoir prétendre avoir pénétré la chimie de base de l'horloge biologique de notre corps. Si cela se confirme, nous serons en position de prédire l'avenir de la santé de chacun ! Depuis juin 2008, nous finissons de mettre au point une mesure assez précise de l'âge biologique réel de chacun. Car, si notre horloge biologique tourne en moyenne trente fois plus lentement que celle de la souris, elle ne fonctionne pas, pour autant, au même rythme pour tous. Certaines « tictaquent » peut-être 10 ou 20 % plus ou moins vite que d'autres. Celle de notre chère Jeanne Calment a de toute évidence «tictaqué» moins vite que celle de beaucoup de quinquas ou sexagénaires.

Un autre exemple, celui de sir Winston Churchill : sédentaire, obèse, fumant dix-huit cigares et buvant une bouteille de whisky par jour, il a écrit brillamment ses *Mémoires* entre soixante-quatorze et quatre-vingts ans ! Jeanne Calment a fumé des cigarettes pendant une centaine d'années, et elle n'a pas développé de cancer du poumon, alors qu'un nombre important de personnes développent ce cancer au bout d'environ vingt ans de consommation de tabac. Pourquoi? Sir Winston comme Jeanne ont eu de la chance avec leurs gènes. On prête d'ailleurs à Churchill cette réplique, alors qu'on lui donnait un conseil d'hygiène de vie : «Une pomme par jour éloigne le médecin? Peut-être, mais en visant bien alors.»

Que veut dire «la chance» en terme biologique? Quelle est exactement la biochimie de la chance et de la malchance puisque tout porte à croire qu'elles existent? Pour trouver la réponse à cette question, j'ai conçu avec ma jeune et brillante collègue, Anita Krisko, ce projet de «la biologie du destin». Il devrait cibler les causes moléculaires de nos différences individuelles devant ce qui nous attend à un certain âge, quarante ou cinquante ans pour les malchanceux (voire avant pour les plus «poissards» d'entre nous), quatre-vingt-dix, cent voire cent dix pour les chanceux. Ce projet a l'ambition d'élaborer la méthode expérimentale de prédire, dès le plus jeune âge, bien avant qu'il y ait le moindre signe de la future maladie, de quel mal et à peu près à quel âge on va mourir. Bref, le «polymorphisme humain» par rapport à ce qu'il y a de plus précieux : la santé.

Grâce à une expérience de ma collègue, Anita Krisko, et aux travaux menés par Samuel Dukan (maintenant au CNRS à Marseille) dans le laboratoire de Thomas Nystrom en Suède, nous avons appris que le moindre changement de la structure spécifique de chaque protéine peut rendre cette dernière très vulnérable aux oxydations. C'est un peu comme si l'oxydation était depuis des milliards d'années notre principal ennemi, celui qui tue le fonctionnement des protéines. Alors, au long de tout ce temps, la sélection darwinienne s'est exercée sur celles-ci : les mutations ont rendu les protéines plus résistantes à l'oxydation et ont donné un avantage à la cellule (ou à l'organisme) au sein de laquelle ces protéines plus solides fonctionnaient. Finalement, chez les espèces encore vivantes, la quasi-totalité des protéines a fini par présenter une structure résistante aux dégâts causés par les oxydations (ce schéma est valable pour d'autres «ennemis chimiques»).

Mais les gènes ne sont pas immuables, ils subissent ce que l'on appelle des «mutations silencieuses» chez les personnes en bonne santé. Ces mutations sont très variées et constituent ce que les chercheurs nomment «le polymorphisme humain». Il y a tellement de mutations silencieuses que chaque humain est unique et parfaitement identifiable par le séquençage de son ADN, ce qu'ont très bien compris et exploité les services scientifiques de nos polices dédiés à l'identification des victimes et criminels. Reste que ces mutations génèrent de subtils changements qui fragilisent la résilience des protéines affectées, et ça, la police ne peut rien y faire ! Hélas, les médecins non plus.

Maintenant, entrons dans le quotidien et les risques que chacun d'entre nous y court.

Les mutations qui entraînent une maladie dès la naissance ne sont pas « silencieuses » : elle « crient » dès le début de la vie du malade par une malformation ou par un défaut métabolique. On les appelle les « mutations héréditaires » puisque leur effet est visible dès la naissance. Mais c'est là un abus de langage. Toutes les mutations sont par définition héréditaires, sauf les mutations mortelles avant la naissance.

Les mutations silencieuses de nos gènes, sans effet évident, peuvent rester « silencieuses » toute la vie. Mais certaines d'entre elles commencent à « crier » à partir d'un certain âge. La question est donc : Comment et pourquoi commencent-elles à s'exprimer et à montrer tardivement un défaut fonctionnel progressif, alors qu'elles étaient bien là dès la naissance ?

L'idée clé de mon projet est que certaines mutations silencieuses ont pour effet de rendre la protéine concernée plus sujette à l'oxydation, de sorte qu'elle « brûle » plus vite que la même protéine non sujette à cette mutation chez quelqu'un d'autre. Comme l'oxydation globale des protéines augmente progressivement avec l'âge, dans une même cellule, les plus fragiles sont les premières victimes et « brûleront » plus tôt et plus vite que les autres et plus vite que la même protéine chez cette autre personne. La fonction de cette protéine « brûlée » devient insuffisante, et le défaut fonctionnel aura des conséquences spécifiques : une maladie pancréatique, rénale, hépatique, le diabète, un cancer, Alzheimer, Parkinson ou autre chose...

Mais comment diagnostiquer chez chaque individu jeune l'existence éventuelle des mutations silencieuses qui seront cause de la maladie à un âge plus avancé ? Et si plusieurs maladies potentielles apparaissent, comment savoir laquelle frappera la première ?

La réponse à ces questions nécessite de développer les méthodes dites «protéomiques» qui permettent d'examiner chaque protéine individuellement, séparée des autres. Il faut surtout pouvoir mesurer le niveau d'oxydation de chaque protéine.

Une fois établi ce niveau d'oxydation, il restera à faire des comparaisons d'une personne à l'autre.

Si, par exemple, au même âge, la protéine p53 est plus oxydée chez Louis que chez Pierre, Paul ou Jacques, alors Louis sera vraisemblablement plus prédisposé aux cancers que ses trois amis. Si la protéine alpha-synucléine s'oxyde plus chez Paul que chez Louis, Pierre et Jacques, alors il est vraisemblable que Paul commencera à souffrir de la maladie de Parkinson plus tôt que Louis, Pierre et Jacques.

Avec le temps, il sera possible de confronter les prévisions à la réalité, et d'établir une corrélation entre l'oxydation de telle ou telle protéine à l'âge de vingt ans et l'année approximative du diagnostic de telle ou telle maladie.

Ainsi pourra-t-on prévoir la maladie qui devrait frapper la première, et approximativement à quel âge elle le fera. Même si ce projet est au stade conceptuel, ce scénario humain théorique est vraisemblable. Plus que possible, il est probable.

Cette connaissance, cette appréhension de l'inévitable ne doivent pas servir à générer inutilement de l'angoisse mais à bâtir des préventions spécifiques : il s'agit d'une médecine préventive individualisée. Là débute notre deuxième programme de recherche qui vise à répondre à ces deux interrogations : Comment maîtriser notre horloge biologique ? Si l'ensemble des mutations «silencieuses» présentent le destin individuel, on ne pourra pas changer ce destin, mais on pourra le décaler dans le temps. Que la maladie arrive à cent ou cent cinquante ans au lieu de cinquante ans ! Mais, comment ?

Nous sommes partis de deux constatations.

D'abord, celle que les protéines sont nos meilleures amies. Ce sont elles qui font tout le boulot. Quand j'écris, écoute, parle, digère, ce sont elles qui agissent. C'est leur degré d'oxydation et donc de dégénérescence fonctionnelle qui donne la mesure et permet d'établir l'horloge biologique, celle qui me dira combien de temps encore je pourrai écrire, écouter, parler, digérer. Hors les protéines, point de vie possible.

Ensuite, nous avons constaté que la mesure de cette horloge de la vie biochimique est probablement universelle, quelle que soit l'espèce concernée. Anita Krisko, Magali Leroy et moi allons publier, avec le Pr Meselson, de Harvard University, les données soutenant cette thèse. Nous trouvons que les organismes très variés par leur robustesse sont également sensibles à l'oxydation de leurs protéines, mais ils les protègent mieux contre l'oxydation.

Qu'il s'agisse d'une bactérie, d'une petite bestiole banale comme le ver nématode vivant en parasite sur l'homme, du lamantin des mers (gros mammifère marin appelé «vache des mers»), du canard sauvage ou de nous, humains, ce que l'on est désormais capable de mesurer permet de prédire le temps qu'il reste à vivre. Et d'en proposer une échelle universelle.

S'il tombait une bombe nucléaire quelque part, en plein milieu de la mer Adriatique, que j'arrive sur les lieux et que je mesure la chimie des protéines de ces êtres vivants irradiés, qu'ils soient homme ou animal, je pourrais dire : «Voilà ! Actuellement il y a x oxydations par protéine et ils seront x % à survivre.» Par exemple, si je dis il y a trois oxydations par protéine – encore une fois qu'il s'agisse de celles d'un humain, d'un ours ou d'une bactérie quelconque –, il y aura 37 % de survivants au moment de la reproduction, ce qui est amplement suffisant pour assurer la préservation de l'espèce.

Ce qui signifie que, indépendamment de la longévité de l'espèce et de la complexité de l'organisme, le degré d'oxydation des cellules permet de déterminer leur niveau de dégénérescence et donc leurs chances de survie.

Cela est aussi vrai pour une bactérie qui n'est constituée que d'une seule cellule que pour toutes les espèces vivantes multicellulaires telles que l'homme, constitué de cent mille milliards de cellules. Cette mesure du taux d'oxydation permet de prévoir le pourcentage de survivance.

Concrètement, qu'est-ce qu'une telle connaissance changerait dans notre quotidien ? Chacun de nous pourrait se rendre dans n'importe quel laboratoire de biologie médicale et y laisser un minuscule échantillon de cellules récupérées, par exemple, sur la langue, ou quelques gouttes de sang. Le laborantin n'userait que d'une machine automatisée, simple, peu onéreuse, pas plus grande qu'une machine à café.

Cette machine aurait pour tâche de casser les cellules, d'en extraire les protéines, de se débarrasser des membranes et des débris inutiles et de provoquer une réaction chimique spécifique de l'oxydation des protéines.

Le laboratoire procéderait ensuite à une mesure quantitative extrêmement précise et pourrait conclure : « *Vous, monsieur, vous avez aujourd'hui cinquante-six ans, mais votre âge biologique est seulement de quarante-neuf ans. Ce sont de bonnes nouvelles pour vous.* » Le meilleur des scénarios ! Car évidemment, le résultat inverse serait possible.

On est en droit de se demander s'il est bien utile de disposer de ce genre d'information, surtout si elle risque de faire baisser le moral... Où se situe l'intérêt pour la médecine, et aussi bien sûr pour la personne concernée, d'avoir connaissance d'un tel résultat ?

Un intérêt, à mon avis, majeur. Avoir un diagnostic de l'état de notre organisme, c'est comme avoir le diagnostic du contrôle technique auquel nous soumettons nos véhicules. Pourquoi craindre de connaître la vérité ? Surtout si nous avons les moyens d'agir, de prévenir les pathologies potentielles. De surcroît, bien entendu, personne n'y serait contraint. Ce devrait être pour tous un formidable moyen de prévention. On pourrait dire à quelqu'un : « Vous vous usez beaucoup plus vite que la moyenne. Évitez de manger trop de sucres. Évitez de fumer. Prenez des antioxydants... » Voilà qui est plus parlant qu'un check-up.

Inutile même d'avoir recours à un médecin. Je pourrais me dire : « J'ai un peu trop de cheveux blancs, je veux voir si c'est un signe de vieillissement. » Je me moque d'avoir des cheveux blancs, cela a son charme, mais si c'est l'indication que mon cœur, mon foie, mon cerveau sont oxydés, eh bien, là, ça me concerne ! Ce n'est plus charmant du tout pour moi de savoir que mon cœur ou mon cerveau a des « cheveux blancs ». Je veux savoir ce qu'il en est biologiquement, et le cas échéant d'entendre : « Non, le reste de votre corps marche très bien. C'est un petit détail de pigmentation des cheveux qui ne devrait pas vous gêner. Ce n'est pas l'indication que vous consumez la vie plus vite. »

En vérité, je ne vois pour l'heure qu'un seul vrai risque : que l'employeur exige, avant de vous embaucher, de connaître aussi votre âge biologique... Mais est-ce à moi, scientifique, d'anticiper ce corollaire qu'on a déjà vu apparaître à une époque pas si lointaine où le sida faisait peur? Ou lors de la découverte du séquençage de l'ADN, avec la possibilité de relever au niveau des gènes les prédispositions spécifiques à certaine maladie? Il appartient aux pouvoirs publics de se saisir de ces questions éthiques et d'y apporter les réponses appropriées.

Les nouveautés scientifiques révèlent souvent des problématiques présentes dans d'autres sphères. Au moment de l'embauche, le candidat est souvent un cheval dont on regarde les dents avant de l'acheter. Chez nos anciens, les problèmes de santé dans la famille étaient sérieusement considérés chez les candidats au mariage. La fragilité du père ou de la mère laissait envisager pour la famille entière des risques pour sa survie. Aujourd'hui, c'est immédiatement suspect. Je citerai la conduite d'un de mes amis, architecte aux États-Unis. Pour soigner son deuxième rhume de l'année, il a préféré prendre sur ses vacances annuelles de... quinze jours, afin que son employeur ne s'aperçoive de rien et ne le mette sur un siège éjectable du fait d'une trop grande fragilité. Les problèmes éthiques et médicaux ne nous arrivent pas aujourd'hui par surprise; ils existent depuis longtemps, mais nous ne montrons pas suffisamment de volonté et de solidarité pour les résoudre. La science n'y est pour rien, car l'inégalité est là, et encore plus, en absence de la science.

L'inégalité devant la vie

Ce qu'on sait aujourd'hui, sans bien le comprendre, c'est que la longévité humaine évolue d'une façon extrêmement régulière. Des statistiques fiables montrent que, depuis 1840, la vie des femmes a augmenté, en moyenne, de quarante ans. En cent soixante-dix ans, quarante ans de vie supplémentaire ! Ça veut dire que, chaque année, en ce qui concerne cet exemple, la vie s'allonge de trois mois. Chaque semaine, de presque deux journées, chaque jour, de six heures. Impressionnant !

Il existe une règle naturelle générale : la longévité des espèces est en corrélation directe avec l'âge de la reproductivité. Il est évident que si des individus meurent avant de se reproduire, leurs gènes sont éliminés. Nous perdurons seulement si nous nous reproduisons avant de mourir. La différence entre ce temps de reproduction et de longévité varie d'un facteur de 10 000 chez les animaux selon qu'ils ont une durée de vie très courte ou très longue.

À l'extrémité de cette chaîne, les oursins, qui peuvent vivre deux cents ans, ou encore les tortues, qui peuvent aller jusqu'à cent soixante ans. Les spécialistes prétendent que certaines éponges vivent vingt mille ans, mais elles ne sont que des sociétés de cellules, elles ne représentent pas une espèce. Les plantes aussi ont de grands champions. Je n'en citerai qu'une, la plus connue : l'olivier, qui peut frôler les cinq mille ans.

Mais, au sein de ces variations et inégalités entre espèces, il en est qui nous paraissent incompréhensibles. D'abord, les oiseaux – et tout ce qui vole en général – vivent dix fois plus longtemps que leurs cousins qui ne décollent pas. Les poulets, notamment, vivent beaucoup moins longtemps que les oiseaux migrateurs. Autre exemple encore plus probant : la souris et la chauve-souris, tous les deux des mammifères. La chauve-souris vit au moins dix fois plus longtemps que la souris ou le rat. Un perroquet peut vivre cent ans. Pourquoi, aussi, cette différence entre le cheval et l'âne ? Le cheval vit jusqu'à vingt-cinq-trente ans. L'âne peut tenir jusqu'à quatre-vingts ans.

Il semble que, une fois la reproduction assurée, il y ait de grandes variations sur le restant de la vie. Certains, comme les saumons du Pacifique, meurent tout de suite. Après avoir déposé les œufs, ils se décomposent d'eux-mêmes, probablement du fait de la mort programmée de leurs cellules, la fameuse apoptose. D'autres vivent trois à quatre fois plus longtemps que le temps qui précède la première reproduction.

Ce qu'on peut déduire de tout cela, c'est que si l'horloge de la vie, dite somatique, celle des individus, est typique de chaque espèce, elle est aussi extrêmement flexible.

Cette flexibilité peut parfois s'expliquer par le passé évolutif. Tout ce qui voulait voler le faisait dans les commencements avec des ailes très primitives, et la quantité d'énergie nécessaire pour se déplacer avec ces ailes ridicules était énorme. Avez-vous vu les tentatives pathétiques que font les grosses poules ou les dindons pour voler ? Quel effort pour si peu de résultats ! Avec cette énorme dépense d'énergie nécessaire et générée par le métabolisme oxydatif, ceux qui n'ont pas su faire évoluer leur système de protection ont brûlé leurs protéines et ils sont morts, leur espèce est éteinte. Ceux qui ont survécu, et qu'on voit aujourd'hui, sont ceux qui, malgré les ailes primitives, ont su à l'époque survivre à cette surcharge de métabolisme oxydatif énorme. Après, ils ont eu le temps, peut-être cent millions d'années, d'acquérir des ailes beaucoup plus efficaces, mais la protection acquise est restée. Et aujourd'hui, ils en profitent pour vivre plus longtemps.

Ce scénario évolutif, que j'ai inventé, est une illustration des jeux infinis de l'évolution.

On pourrait s'amuser à imaginer ce que pourrait être le scénario évolutif pour l'homme. Chacun peut constater que, dans nos sociétés dites modernes qui nous donnent de plus en plus de commodités, nous dépensons de moins en moins d'énergie pour nous déplacer – et pour vivre, tout simplement. Il est possible qu'on profite encore de la sélection darwinienne survenue au temps où on ne se déplaçait qu'avec nos pieds : la protection évoluée dans le passé nous protège aujourd'hui – dans notre vie confortable – sous forme de l'allongement de la vie après la période reproductive.

Il n'y a pas si longtemps, au regard de l'histoire du monde, nous étions des chasseurs contraints de courir beaucoup. Ensuite, sont venus les chevaux domestiqués, les diligences, les trains, les voitures et les avions qui nous rendent progressivement sédentaires. Mais la protection contre l'oxydation acquise au temps des longues courses où nous étions chasseurs et gibier est toujours présente. Ce qui nous sauve encore – mais pour combien de temps ? – c'est que nous n'avons pas encore eu le temps de nous dégrader génétiquement. Nous pouvons encore profiter de l'ancienne sélection de la robustesse de nos ancêtres. Eux ont survécu en des temps où la charge d'oxydation était nécessairement beaucoup plus grande. Le progrès nous ayant rendus paresseux, nous continuons à profiter des bienfaits de la résistance acquise par eux, tandis que notre vie sédentaire engendre d'autres problèmes tels que l'obésité ou le diabète. En revanche, puisque nous brûlons plus lentement nos protéines, nous vivons plus longtemps que nos aïeux.

Il est improbable que l'homme primitif ait souffert du diabète. Mais il y a toujours, tôt ou tard, des prix à payer. Ceux parmi les humains qui se trouvaient génétiquement incapables de stocker l'énergie sous forme de graisses à l'issue d'une bonne chasse mouraient pendant les famines. Nous sommes les descendants des survivants de ce temps. En revanche, aujourd'hui, dans les pays riches, la consommation excessive de nourriture surtout engendre des populations obèses ! Ainsi l'excès de nourriture ajouté à une vie sédentaire peut contribuer, en l'absence d'interventions intelligentes, au raccourcissement de la vie.

Au laboratoire, lorsqu'on fait suivre un régime à des souris en baissant tout simplement, comme pour nous, leur consommation de calories, elles peuvent vivre 30 % de temps supplémentaire. De la même façon, on a constaté que les mutations mimant ce régime calorique prolongent la vie de ces mêmes souris, toujours de 30 %. Pour des animaux plus «simples» que les souris, la longévité peut être multipliée par deux. Cette longévité est due à ce que l'on pourrait appeler la prolongation de la vie saine.

On part donc d'un état de fait plutôt encourageant : dans la nature et dans le laboratoire, la longévité des vivants est étonnement extensible. Mais ne confondons pas ce qui est allongement de la durée de vie moyenne et allongement de la durée maximum de la vie. Les premiers gains d'espérance de vie ont été obtenus par la diminution progressive de la mortalité infantile. Au XIXᵉ siècle encore, près de la moitié des êtres humains mouraient avant l'âge de dix ans, essentiellement de maladies infectieuses. Une meilleure hygiène et une meilleure alimentation, et l'apparition notamment de la conservation des aliments par le froid, ont progressivement réglé le problème, pour ce qui est, en tout cas, des pays riches et industrialisés.

Cette amélioration de la qualité de la vie a permis que celle-ci s'allonge de manière spectaculaire, et il n'y a pas encore de signes de ralentissement. C'est la mortalité infantile et celle de l'adulte qui ont été réduites, et actuellement c'est la dernière qui devient responsable de l'allongement de la vie dans les pays développés.

La prévention a contribué beaucoup plus que la thérapie. Même pour la tuberculose. Si des dizaines de milliers de vies ont été sauvées par les antibiotiques, des dizaines de millions ont été épargnées par prévention – hygiène, nourriture et vaccination.

Pourquoi meurt-on ?

La mort, pour nous, peut se comparer à la fin d'une voiture. Comme sur un moteur, nos constituants fonctionnels cessent d'être efficaces s'ils ont été sollicités des centaines de milliers d'heures. C'est l'usure. Ils sont de moins en moins performants, ont de moins en moins de « reprise », jusqu'au moment où une pièce se détraque définitivement.

Le vieillissement, c'est la diminution progressive de l'efficacité et de la précision du fonctionnement de l'organisme. Et ça commence d'abord par les organes : les yeux, les oreilles... Ensuite, nous sommes affectés dans nos mouvements quotidiens. L'arthrose se signale. Tout diminue, y compris l'activité reproductive : la qualité génétique des spermatozoïdes et des ovules se détériore progressivement avec l'âge. Avec le temps, les problèmes s'accumulent, non pas d'une façon additionnelle, mais, pire, multiplicative. On ne rajoute pas simplement, chaque jour ou chaque mois, une quantité égale de dégâts moléculaires en plus. En fait, le temps multiplie de manière exponentielle les dommages, comme une avalanche dévalant la montagne de plus en plus vite, de plus en plus volumineuse, pour se fracasser dans les ravins. C'est la loi sigmoïde biexponentielle de Gompertz (le logarithme naturel de la mortalité spécifique de l'âge augmente linéairement avec l'âge), un mathématicien autodidacte du XIXᵉ siècle (l'Université lui avait été interdite parce qu'il était juif), qui a remarqué que les taux de morbidité et de mortalité augmentent exponentiellement avec l'âge.

L'espèce humaine ne constitue pas en cela une exception. Les animaux et les plantes subissent le même phénomène. Si la durée de vie selon les espèces varie énormément, celles-ci vieillissent et meurent avec la même cinétique. Nous mourons en moyenne plus tard que les chiens ou les chats, mais notre organisme se dégrade, proportionnellement, de la même manière.

De toute évidence, l'horloge biologique n'est pas régie, chez tous, par le même tic-tac. Mais, comme il s'agit nécessairement d'une horloge chimique, il faudrait savoir si ce tic-tac, rapide ou lent, est, au départ, universel, et si cette chimie est identique pour toutes les espèces. S'agit-il d'une horloge située au niveau de l'ADN ou au niveau des protéines, ou bien d'autre chose...? Probablement pas au niveau de l'ADN, car si les mutations somatiques (dans les cellules du corps) augmentent légèrement avec l'âge, elles le font, autant qu'on le sache, d'une façon linéaire – mais les méthodes de mesure laissent à désirer.

Il y a vingt-cinq ans, Earl Stadtman, grand biochimiste américain et figure de proue des instituts nationaux de la santé, développa une méthode pour mesurer l'oxydation des protéines. Selon ses résultats, l'oxydation des protéines dans les cellules de la peau humaine augmente d'une façon exponentielle avec l'âge. Ainsi, au moins superficiellement, la loi de Gompertz se vérifiait-elle également au niveau de l'oxydation des protéines.

Il conviendrait donc que l'on puisse travailler sur cette oxydation pour espérer comprendre enfin la chimie de la mort au niveau moléculaire et cellulaire, mais, à l'heure actuelle, nous sommes encore loin de disposer d'une méthodologie suffisamment précise et sensible. Il faudrait pouvoir envisager l'étude de l'oxydation de chaque cellule, et non pas d'amas de cellules, comme on le fait actuellement, en mélangeant cellules vivantes et cellules mortes mélangées.

Lorsqu'on observe tous ces problèmes de quasi-«mécanique» qui s'accumulent et apparaissent avec l'âge, ou qu'on se penche sur la vitesse d'apparition des maladies neurodégénératives, cardiovasculaires, infectieuses, cancer et, *in fine*, de la mort, on peut tracer des courbes, exponentielles. Elles montrent que tous ces divers processus progressent généralement en parallèle, comme s'il y avait une cause commune (mais laquelle?) à toutes ces manifestations du vieillissement.

Ces courbes comptabilisent les maladies. Pourquoi les gens vont-ils chez le médecin? Qu'est-ce que le médecin voit? Qu'est-ce qu'il a noté? Et puis, finalement, on regarde le registre des morts. On prend en compte toutes ces données. Cas par cas, on note quel âge avait la personne lors de ses premières douleurs qui l'ont amenée chez le médecin, à quel âge elle est décédée. Et, à partir de millions de personnes, une par une, on étudie toute cette comptabilité. C'est une procédure sérieuse qu'on appelle l'épidémiologie. C'est ainsi que l'on sait, par exemple, que, chaque année, approximativement 1 % de la population meurt et 1 % naît.

Pour une population telle que celle de la France et ses soixante millions d'individus, on appréhende maintenant cette comptabilité de zéro à cent vingt-deux ans, référence à l'âge de son ex-doyenne Jeanne Calment. Au total, sur notre planète, ce sont actuellement 6,5 milliards de personnes qui entrent dans cette comptabilité.

À partir de toutes ces données, on constate que notre horloge biologique individuelle varie beaucoup. En 1800, l'espérance de vie moyenne était de trente-cinq ans, à cause principalement d'une mortalité enfantine très élevée, près de 50 % avant dix ans. À partir des années 1960, la mortalité des enfants devient négligeable dans les pays à plus longue durée de vie. De même, celle des adultes de quinze à quatre-vingts ans ne cesse de diminuer chaque année par réduction des facteurs externes de mortalité. Bientôt, cependant, quand tous parviendront à quatre-vingt-dix ou cent ans, la durée de vie ne pourra plus augmenter qu'en réduisant la vitesse de vieillissement par l'allongement de la durée de vie intrinsèque, interne, de notre espèce.

L'élixir de jouvence existe, nous l'avons rencontré

Voilà encore moins de deux ans, je n'aurais osé l'imaginer. Puis notre travail au laboratoire a progressé quand une expérience donna du sens à tout le travail préalable. Nous vîmes clairement que nous étions en face de quelque chose de nouveau et d'inattendu. Tout ce qui paraissait compliqué est devenu simple. Nos seuls mérites sont d'avoir gardé intactes notre passion pour comprendre et notre patience pour travailler. Comme toujours, les données nouvelles nous ont immédiatement inspiré des idées nouvelles.

La situation me rappelait celle que j'avais connue en 1988. À cette époque, il m'apparaissait possible de réaliser l'incroyable : croiser deux espèces bactériennes qui ne se croisent pas depuis une centaine de millions d'années. Nous avons imaginé de croiser une bactérie anodine appelée *Escherichia coli*, qui habite normalement notre intestin, avec une bactérie pathogène qui aurait bien aimé, elle aussi, habiter notre intestin et porte le joli nom de *Salmonella typhimurium*.

Aussi austère qu'il soit sur les photos que l'on a de lui, Darwin nous aurait embrassés pour avoir conçu un tel projet. Nous avons fait rouler beaucoup de fois les dés et nous avons fini par tomber sur la bonne combinaison : nous avions levé la barrière génétique entre les espèces ! (Encore que des échanges génétiques transversaux massifs, spontanés, soient connus entre bactéries, de sorte que l'arbre de l'évolution n'est pas un arbre classique à branches indépendantes et à dichotomies parallèles, mais un arbre aux branches capables de se croiser entre elles, comme le dit D. Raoult.) À quoi étions-nous parvenus ? Les deux bactéries ont échangé une partie de leur ADN, parfois 1 ou 2 % seulement, parfois 30 %, et chaque mosaïque génétique ainsi créée – que nous avons appelée *Salmorichia* – constituait une autre espèce unique. En 1989, tandis que tombait le mur de Berlin, nous avons fait tomber le mur génétique qui sépare les deux espèces ! C'était un grand pas, mais qui relève déjà du passé.

Revenons au présent et au problème de la résilience et du vieillissement des êtres vivants. Le défi qui nous est aujourd'hui posé est le suivant : comment se fait-il qu'il puisse y avoir dans la même machinerie cellulaire, composée des mêmes sortes de molécules, des éléments incassables ici et très fragiles là ? En quoi consiste la différence biologique entre un organisme fragile et un organisme robuste ?

Quand on observe une Rolls-Royce et qu'on la compare avec les autres voitures, on s'aperçoit vite que l'équipement de cette belle anglaise est incomparable en qualité. Cela saute aux yeux ! Mais, chez les êtres vivants, rien de tel. En étudiant deux espèces vivantes du genre Rolls-Royce, notre équipe a trouvé une formidable capacité à réparer l'ADN, à le reconstituer à partir des centaines de fragments à la suite de doses d'irradiation monstrueuses. Les irradiations ne laissent aucun survivant chez les organismes normaux, mais laissent 100 % de survivants chez les bactéries ou animaux rares et robustes. Pourtant, ma collègue, post-doctorante, Ksenija Zahradka, a trouvé le mécanisme de la réparation, et ma doctorante, Dea Slade, a trouvé que les protéines de réparation sont essentiellement les mêmes que chez les espèces sensibles.

Ensuite, ma jeune collègue Anita Krisko a découvert que les organismes très robustes ont inventé un système moléculaire de prévention des dégâts cellulaires, et donc de protection des protéines de réparation à l'origine de la robustesse. Le concept fut développé avant nous par Michael Daly, un chercheur américain, par la comparaison des espèces bactériennes. Nous avons trouvé la relation cause-effet. En effectuant nos recherches sur une bactérie très robuste au nom bizarre, *Deinococcus radiodurans,* nous en sommes arrivés à concevoir que l'on pouvait, théoriquement, prolonger la vie de n'importe quel organisme, humain inclus, bien au-delà de ce qui est imaginable aujourd'hui car Anita trouvait qu'un cocktail de petites molécules de *Deinococcus radiodurans* était capable de protéger les protéines d'une espèce sensible aux radiations. Désormais, je suis convaincu que l'impensable ne l'est plus, même s'il est encore impossible de le certifier tant qu'il n'y aura pas eu de tests sur l'homme. Mais une prolongation de la vie humaine saine est devenue un projet de recherche crédible !

Nous avons poursuivi nos recherches et nous savons désormais que ces «substances protectrices», pour l'instant l'apanage de ces organismes increvables, relèvent en réalité d'une chimie assez banale. Nos efforts ont consisté à la démystifier, et on aurait pu y penser bien avant. Car l'intelligence est trompeuse, elle peut vous envoyer dans des dédales ou des culs-de-sac. Les fausses pistes sont partout. Elles attirent l'intelligence et la curiosité humaine comme les sirènes de l'Odyssée.

Serait-il possible de se «vacciner» contre le vieillissement en consommant les substances protectrices ? Nul ne peut le dire avant les tests sur les humains. Mais ça vaut la peine de tenter. Pourrait-on exploiter la résistance aux radiations pour acquérir cette résistance comme on a pu exploiter la résistance aux virus pour la vaccination contre le virus ?

Rappelons que la variole est un virus spécifique aux êtres humains dont on a retrouvé trace jusqu'au IVe siècle avant Jésus-Christ. Il a fait dans le passé des ravages terribles. L'efficacité d'un vaccin a permis que ce virus n'ait plus trouvé personne sur terre pour se multiplier, et aujourd'hui il n'est plus là pour nous attaquer. Ce vaccin, fruit d'une recherche entamée au XVIIIe siècle par l'Anglais Edward Jenner, a rendu résistante la population humaine entière. Pourrions-nous être bientôt dans une situation de protection équivalente pour toutes les maladies liées à l'âge ? Sera-t-il permis de faire les expériences nécessaires sur l'homme ?

Aujourd'hui, il est probable qu'on ne pourrait pas faire ce qui a permis à Edward Jenner d'inventer le vaccin contre la variole. La manière dont Edward Jenner a procédé, c'est-à-dire en se grattant lui-même avec du pus de vache – d'où le mot «vaccin» issu de *vacca* en latin, vache –, les autorités l'accepteraient-elles aujourd'hui? Jenner s'était aperçu que des femmes qui travaillaient beaucoup avec les vaches étaient plus résistantes à la variole (les vaches pouvaient être contaminées non par la variole mais par la vaccine, maladie proche de la variole et transmissible à l'homme pour qui elle était, le plus souvent, bénigne). On ne savait pas en ce temps-là ce qu'était un virus. Son idée était qu'un pathogène, s'il ne tue pas, peut rendre résistant à ce pathogène, et il a testé son idée sur sa propre personne.

Ces mêmes autorités auraient-elles accepté aussi la manière dont Louis Pasteur procéda pour éradiquer la rage? Pasteur, lui – tout le monde connaît cette histoire apprise à l'école –, a testé en 1885 son vaccin contre la rage directement sur un petit berger alsacien, un enfant de neuf ans, Joseph Meister, à qui on ne donnait plus deux jours d'existence. Ce qu'on sait moins, c'est que ce Meister devenu grand a passé tout le reste de sa vie comme gardien de l'Institut Pasteur à veiller sur le mausolée de celui qui l'avait sauvé. Et quand, en 1940, il n'a pu empêcher que les nazis entrent dans l'Institut, il s'est suicidé. Pasteur lui avait redonné la vie; à soixante-quatre ans, il lui a à son tour sacrifié la sienne.

On peut se demander si, avec notre souci permanent de nous protéger des risques, cette industrie de gestion des risques, cette vaste manipulation politique aussi, basée sur la peur collective, il peut encore y avoir une place à un Jenner ou un Pasteur. Je crains que la réponse soit non! De nos jours, ils n'auraient jamais eu carte blanche pour leur vaccination. S'injecter sur soi-même ou sur un enfant condamné une substance n'ayant pas fait l'objet d'expérimentations codifiées, les autorités ne l'auraient jamais permis. Évidemment, la porte ne doit pas être laissée ouverte à tous les fous, mais sous ce prétexte, nous sommes à mon avis aujourd'hui dans l'excès de précaution. Cette interdiction faite à des volontaires – qui considèrent que leur vie est totalement handicapée par la maladie – de tester une issue, où ils risquent, certes, beaucoup, est à mon sens une atteinte à la liberté.

Quelle incohérence ! Pourquoi laisse-t-on des vies en pleine santé se perdre dans les sports extrêmes ? La logique voudrait qu'on les interdise. Et que dire sur la mortalité et la morbidité des guerres ? Pour ma part, j'aime suffisamment la vie pour ne pas la risquer bêtement. Mais j'aime aussi suffisamment vivre pour prendre un tout petit risque qui aboutira à un grand gain.

Pour en revenir à notre recherche sur la prolongation de la vie, pour l'heure on n'a pas encore identifié la substance, ou plutôt les substances, qui pourront la favoriser. On sait seulement que ce sont des substances d'un petit poids moléculaire. Qu'il ne s'agit ni de protéine ni d'ADN.

De la découverte d'un médicament jusqu'à la prescription par le médecin, il peut se passer dix ans. Tout laisse à penser dans notre cas que ça pourrait être beaucoup plus rapide. Il s'agira d'un produit naturel car, *a priori*, ni les rotifères ni les tardigrades, ni les *Deinococcus*, toutes ces petites « bêtes » robustes sur lesquelles nous avons travaillé, ne sont toxiques pour les humains. Donc, les protecteurs des processus de la vie qu'elles abritent ne sont probablement pas toxiques, non plus. Le passage obligé de l'expérimentation sur l'animal, puis sur les volontaires, peut ainsi être plus court.

La découverte du Graal

Quand, à compter d'un certain âge, nous voyons apparaître à la surface de nos mains ces petites taches brunes, qu'on appelle, si on veut verser dans la poésie, « les taches du tombeau », c'est tout simplement l'oxydation des graisses et des protéines cellulaires qui fait son œuvre.

Un peu comme le brunissement du beurre, la pomme coupée ou la banane oubliée dans la corbeille de fruits : l'oxygène dans l'air ne nous épargne pas. Tous les matériaux ont tendance à s'oxyder et les matériaux biologiques ne font pas exception. L'oxydation est une modification chimique d'une molécule, due à une fixation d'oxygène sur un ou plusieurs des atomes qui la composent.

Quand les cellules de notre peau s'oxydent, ces petites taches sont les reflets de leur corrosion et donc de notre dégénérescence. Nous commençons à rouiller, notre valeur biologique, si j'ose dire, est entamée. Les marchands de toutes sortes font croire que le processus peut être enrayé. À coup sûr, pas leur vénalité ! On voit dans les publicités des boîtes cosmétiques : anti-âge, antioxydant, anti-ceci, anti-cela. Prenez de la vitamine C. Prenez de la vitamine E, car l'oxydation fait vieillir, etc. Finalement, des millions de gens ont essayé et essaient encore. Ça ne peut pas marcher car la chimie des radicaux est très complexe : le superoxyde, le peroxyde oxygène et l'hydroxyle se transforment l'un en l'autre, et chacun d'entre eux est potentiellement dangereux. Alors bloquer à un endroit mais laisser passer l'envahisseur sur des dizaines d'autres brèches de notre ligne Maginot humaine ne suffit pas. Ce n'est pas ainsi en tout cas que l'on gagnera la guerre contre le vieillissement. C'est la raison pour laquelle les antioxydants connus sur ce marché prospère ne sont pas la panacée, ni en médecine, ni en cosmétique.

Nous pouvons faire une comparaison avec un réseau ferroviaire : quand une voie est bloquée, on peut toujours la contourner. Ce qu'il faut, c'est agir d'un coup sur le réseau tout entier. Les bactéries *Deinococcus radiodurans* et les animaux rotifères, bdelloides, et probablement les tardigrades sont parvenus à le faire, et le font même tout le temps. Ce sont ces bizarres créatures – les « freaks » comme les appellent les Anglais – qui détiennent le secret de notre salut.

Ce que les marchands ne font que promettre, nous, biologistes et biochimistes, nous pouvons le réaliser. Nous savons maintenant comment empêcher et même enrayer l'oxydation des cellules. D'abord en détournant les radicaux libres avant qu'ils ne frappent une structure cellulaire importante et provoquent sa corrosion. Ensuite, en aidant nos cellules à se débarrasser du matériel biologique oxydé, car elles ont déjà en elles cette capacité de remplacer les molécules endommagées par les mêmes molécules nouvelles.

Les radicaux libres d'oxygène provenant de l'air, qui contient 21 % d'oxygène, sont tout simplement des petites parties de l'oxygène dissous dans l'eau qui se révèle sous une forme chimiquement agressive.

Quand un atome contient un électron « libre » – c'est-à-dire sans son partenaire complémentaire et neutralisant –, l'atome est soit en manque d'électron soit au contraire en surplus. Il va alors chercher le moyen de s'équilibrer soit en prenant l'électron qui lui fait défaut soit au contraire en se débarrassant de celui qui est en trop : il est chimiquement agressif ! C'est un radical qui tôt ou tard finira par arracher un électron à un autre atome soit lui en donner un. C'est ainsi qu'il se stabilise, mais c'est alors l'autre atome, l'atome agressé, qui aura maintenant un électron manquant ou un de trop. Conséquence : c'est lui qui va devenir un radical ! Pour vulgariser plus encore ce que sont ces radicaux libres qui nous attaquent, imaginons qu'ils sont, au sein de nos sociétés organisées et plus ou moins pacifiées (l'atome), soit des célibataires frustrés cherchant à arracher à autrui un conjoint, soit au contraire un conjoint « mal marié » qui va se débarrasser par tous les moyens du partenaire encombrant. C'est dire à quel point ces radicaux libres, pas ou mal accompagnés, peuvent bouleverser un organisme et mettre à mal un organisme (un groupe, une société dans notre comparaison) à l'équilibre précaire.

Et ce jeu peut continuer indéfiniment, se répandre telle une contagion, avant que les deux radicaux complémentaires (l'un avec son électron manquant, l'autre avec celui qu'il a de trop) ne se rencontrent et ne passent ce que l'on appelle dans le langage à la mode un « marché gagnant-gagnant ». Alors, survient le calme, la paix des braves ; tout le monde peut respirer, pour un temps.

On voit maintenant combien il est difficile d'arrêter l'avalanche des radicaux libres. En effet, 99 % des radicaux libres dans nos cellules finissent tranquillement sous forme d'eau, mais le 1 % restant font du dégât.

Lorsque l'on garde dans des petites éprouvettes en plastique, sagement logées et répertoriées dans nos frigos, les petites protéines – molécules travailleuses de la vie – appelées enzymes A, B ou C, qui ont chacune leur spécialité et leur utilité, pour éviter qu'elles ne se dégradent par l'oxydation, on rajoute ce qu'on appelle le bêta-mercaptoéthanol. Il s'agit en réalité d'une molécule très simple, aussi malodorante qu'efficace, qui va neutraliser les «radicaux libres» d'oxygène en les attirant sur elle-même, telle une victime sacrificielle consentante. C'est elle qui sera oxydée en épargnant notre précieuse enzyme.

Le piège est basique mais infaillible. Le radical d'oxygène, au lieu d'agresser la protéine que l'on veut protéger, se jette sur l'innocente molécule de bêta-mercaptoéthanol qui sent l'œuf pourri (sulfure d'hydrogène) et que l'on pourra éliminer une fois oxydée.

L'idée est bien connue, elle est élémentaire. Nous devons trouver le chemin pour installer dans nos cellules davantage de pièges à oxygène agressif. Ainsi, pendant qu'il agressera les molécules innocentes et sans intérêt, ce radical d'oxygène ne s'attaquera pas aux molécules précieuses que sont nos protéines ou notre ADN.

Toutes les cellules contiennent des molécules qui sont naturellement des pièges à oxygène. Elles s'appellent glutathion, cystéine, cystamine, etc. Il existe aussi des enzymes qui détoxifient les radicaux, la catalèse, la superoxyde dismutase. Mais elles sont elles-mêmes oxydables; il faut donc les protéger. Seulement voilà, on n'en a pas assez ou elles ne sont pas suffisamment efficaces pour nous laisser poursuivre plus avant en bonne santé.

Ainsi, la question était donc de repérer où se dissimulaient les cellules les plus robustes face aux radicaux d'oxygène, de les identifier et de les attraper là où elles se trouvaient et d'en extraire les molécules protectrices pour nous donner la protection qui nous manque et pouvoir espérer prolonger la vie en bonne forme.

En somme, il nous fallait imaginer un véritable hold-up de molécules pour protéger notre machinerie contre l'usure.

Mais ce n'est pas tout.

Notre mécanique est semblable à une machinerie disposant d'un réseau intégré de médecins urgentistes, comme ceux qui sillonnent les grandes villes avec leur petite voiture blanche et qui assurent une assistance permanente et tout-terrain. Or, ces médecins urgentistes moléculaires sont eux-mêmes des protéines à la merci, comme toutes les autres, des intrépides radicaux d'oxygène. Nos médecins humains et moléculaires peuvent tomber malades, vieillir et mourir !

Il faut savoir aussi que ces services de médecins sont bien organisés. Certaines protéines sont les «diagnostiqueurs». Elles détectent les dégâts ou erreurs moléculaires.

D'autres sont les thérapeutes ou chirurgiens moléculaires. Une fois «appelés» par les diagnostiqueurs, ils coupent les parties endommagées pour les éliminer; ils coupent donc et ensuite remplacent (par synthèse partielle) la partie lésée de la molécule. Cela marche bien pour l'ADN. Mais les protéines oxydées sont irrécupérables, il faut les envoyer «à la casse» et les remplacer. Ces protéines biocatalysateurs sont appelées «enzymes».

Enfin, entrent en jeu les «nettoyeurs». Ceux-ci transportent, de l'intérieur vers l'extérieur de la cellule, les déchets, c'est-à-dire les molécules oxydées qui, au fur et à mesure de la réparation des dégâts chimiques, remplissent et finissent par faire déborder la poubelle biochimique de la cellule.

C'est cette action conjuguée des diagnostiqueurs, des chirurgiens et des nettoyeurs moléculaires de nos cellules qui nous maintient en bonne forme.

Il est donc vital, au sens propre, de les protéger, car s'ils sont, à leur tour, attaqués par l'oxydation, tout le reste de la formidable machinerie cellulaire va en pâtir en accumulant de plus en plus les molécules d'ADN, d'ARN et des protéines endommagées, souvent fonctionnellement mortes. Protéger ceux qui vous protègent, voilà qui semble un réflexe de bon sens.

La solution trouvée par la nature des organismes robustes est la prévention par la protection ! Protéger et prévenir les dégâts.

J'ai passé quarante ans de ma vie à étudier les médecins réparateurs moléculaires. Ils sont fascinants. Dès qu'ils détectent le moindre petit dégât, ils le réparent sur-le-champ afin d'empêcher un dégât beaucoup plus grand. Mais à force, évidemment, ils se fatiguent, et finalement ils décident eux aussi de faire valoir leur droit à la retraite une fois que l'organisme n'est plus reproducteur ou qu'il l'est moins. À partir de là commence l'accumulation croissante des dégâts annonçant l'inéluctable : les maladies, la mort.

Pour atteindre la robustesse, il fallait donc également trouver les moyens de protéger ces médecins urgentistes moléculaires, afin qu'ils gardent leur forme la meilleure pour guérir les maux moléculaires de nos gènes, de nos protéines et du fonctionnement de la cellule. Nous disposions déjà de tests quantitatifs permettant de mesurer, à leur début, les petits dégâts moléculaires de nos médecins-mécaniciens moléculaires.

Nous étions face à ce défi : voler quelque chose d'assez simple pour protéger quelque chose de très compliqué.

Avec cette idée en tête nous sommes donc allés chercher ce trésor chez les organismes robustes, là où, logiquement, il devait se trouver. Un élément leur appartenant pouvait avec un peu de chance faire office de «médicament» ! Si on a une chance inouïe, sinon rien... Il faut tenter l'expérience dix ou vingt fois pour que «ça marche». Louis Pasteur prétendait que la chance sourit aux esprits bien préparés.

Les médicaments, tous les médicaments, sont des molécules. Un antibiotique, c'est une molécule, synthétisée par les enzymes d'une bactérie ou d'un champignon. Cette molécule va simplement aller se caler dans la machinerie cellulaire de la bactérie qui vous agresse et ainsi arrêter son moteur. C'est un peu comme si la bactérie qui vous contamine et vous attaque était un mécanisme d'horlogerie et que l'antibiotique était le grain de sable qui va s'insinuer dans cette mécanique de précision et la faire caler jusqu'à son arrêt définitif. La bactérie, une fois contrariée par l'intrusion du grain de sable, va vivre encore une heure ou deux, à l'état morbide, et ce sera sa fin. C'est ainsi que l'antibiotique bactéricide tue la bactérie. Il existe aussi les antibiotiques batériostatiques qui empêchent la division, mais ne tuent pas directement.

Andrew Collins, à la Harvard Medical School de Boston, a montré que les antibiotiques bactéricides tuent finalement par une poussée de radicaux d'oxygène, tandis que les bactériostatiques ne le font pas. Ainsi, nos cellules de défense contre les bactéries – les macrophages – tuent les bactéries. C'est une production du peroxyde d'hydrogène qui alors provoque l'inflammation, le dégât oxydatif sur nos cellules.

L'élixir sur lequel nous travaillons mettra en circulation une molécule (ou un mélange de molécules) qui sera le petit grain de sable empêchant le processus de dégénérescence lié à l'oxydation de nos précieuses cellules, ce petit grain de sable qui viendra contrarier et ralentir (sinon arrêter) le tic-tac de l'horloge de la dégénérescence biologique.

Pour pouvoir expliquer ce que nous sommes en train de réaliser, il nous fallait nous appuyer sur une nouvelle terminologie, parlons, par exemple, de «système SOS». Il a fallu qualifier aussi les protecteurs : dans le jargon du laboratoire, ce sont les «resilios», parfois Abraxas – l'élixir mythique de la jouvence.

La première fois que j'ai évoqué cette découverte en public, c'était à l'Académie des sciences, à Paris, devant les représentants de plusieurs sections. Je leur ai dit : «J'ai quelque chose d'extraordinaire à vous raconter.» Comme à mon habitude, j'improvisais avec un enthousiasme juvénile, mais apparemment ils ont été plutôt séduits. Depuis, j'ai eu l'occasion d'exposer mon travail dans différents grands congrès, devant les plus grands spécialistes de réparation de l'ADN et de la chimie des protéines du monde entier. Les plus vieux étaient conquis par la logique et la simplicité, les plus jeunes n'arrivaient pas à admettre que ça soit aussi simple.

Les surprises du corned-beef

Depuis bien des décennies maintenant, ma vie n'est qu'une série d'aventures avec... les bactéries. Ce qui paraît à beaucoup bien éloigné de la biologie humaine ! Mais non. Il faut changer cette image négative de la bactérie.

On sait qu'il y a des dizaines de millions d'espèces de bactéries, d'une variabilité et d'une diversité fantastiques. Les bactéries génèrent tout le temps la diversité en fabriquant les mosaïques génétiques entre différentes espèces. Cela signifie qu'elles partagent leur ADN et se l'injectent de l'une à l'autre. C'est leur quotidien dans la nature. Elles se modifient tout le temps et la sélection fait son travail. Bref, les bactéries sont certainement les êtres vivants qui ont le plus grand succès évolutif.

Des milliards de bactéries, rien que dans une demi-tasse à café ! La population bactérienne sur la Terre est indéchiffrable, mille fois des milliards de milliards de milliards de cellules bactériennes. Contentons-nous alors de ce que nous connaissons bien. Notre propre corps ! Le vôtre, le mien, celui de tout le monde, est constitué d'un nombre plus grand de bactéries que de cellules. Dans nos intestins par exemple, il y a dix fois plus de bactéries qu'ailleurs. Heureusement d'ailleurs, car si elles n'existaient pas, nous n'aurions aucune flore intestinale, ni aucune chance de survie. Elles digèrent pour nous.

Ces bactéries sont des symbiotes, c'est-à-dire que la majorité de ces centaines d'espèces bactériennes ne peuvent pas vivre l'une sans l'autre au-dehors de notre intestin, et nous ne pouvons pas vivre sans elles. Elles pratiquent le mariage fidèle, et pour toujours ! Ainsi unies, elles protègent l'intestin de l'invasion des parasites pathogènes et synthétisent certaines vitamines que nos cellules seraient incapables de synthétiser. Elles nous débarrassent des déchets de la nourriture que nous consommons en quantité. Ces bactéries nous sont indispensables, et ce sont de bonnes bactéries dites « commensales ». Ces bactéries utiles, nous les négligeons, tant nous sommes occupés par toutes les autres espèces de bactéries qui, elles, nous pourrissent l'existence.

Au XIXe siècle en Allemagne, le fameux Robert Koch a été le premier à établir qu'un tout petit bacille suffisait à décimer des populations à risque en provoquant ce mal affreux qu'était la tuberculose. On s'est alors rendu compte qu'on pouvait associer une bactérie spécifique à une maladie spécifique et mortelle. D'où la mauvaise réputation des bactéries qui, dans l'esprit de la plupart d'entre nous, n'existent que pour nous chercher, nous trouver et nous achever.

La réalité est tout autre à l'intérieur comme à l'extérieur de notre corps. Nous sommes vraiment couverts et recouverts par des bactéries qui nous font au contraire beaucoup de bien.

Dès les premières vingt-quatre heures de notre vie, des centaines d'espèces bactériennes s'installent dans nos corps parfaitement stériles issus de l'utérus des mamans. Elles s'installent et se maintiennent en parvenant à un équilibre aussi miraculeux qu'improbable : il n'en existe jamais une qui veuille gagner sur les autres. Les mille espèces bactériennes de notre intestin sont en symbiose avec notre corps. Ces bactéries dépendent tellement l'une de l'autre que, même après un traitement antibiotique qui détruit certaines d'entre elles, l'équilibre est rétabli après plusieurs mois. Comment ne pas s'extasier devant une telle fidélité et loyauté entre les bactéries quand on songe à ce qu'il nous faut tous les jours supporter dans nos rapports humains !

Ma belle histoire avec les bactéries a commencé en 1966, mais je me suis intéressé à l'une d'elles, que l'on connaît depuis 1956. Cette bactérie a été découverte alors qu'elle contaminait des boîtes de viande, le fameux corned-beef, de nos «gourmets» américains. Aux États-Unis, l'habitude était de stériliser ces conserves, sitôt leur fermeture, par irradiations gamma, irradiations ionisantes, à une dose qui, en principe, extermine toutes les bactéries. Une technologie développée surtout pendant la guerre pour conserver longtemps dans des boîtes métalliques la nourriture destinée aux soldats. En appliquant des doses équivalentes à celles qu'on utilise d'ailleurs pour tuer les cellules tumorales chez l'homme, aucun être vivant, à commencer par les bactéries, ne devait survivre.

Et pourtant, de temps en temps, on détectait les contaminants : des colonies de bactéries de couleur orange qui ne devaient pas se trouver là. Des chercheurs ont commencé à se gratter la tête. Ils ont pris ces colonies bactériennes pour les cultiver en laboratoire. Puis, ils ont irradié, cette fois-ci, la pure culture des bactéries à des doses stérilisantes d'un million de « rad » censées faire tout disparaître. Ils se sont encore plus gratté la tête. Surprise : ces bactéries-là survivaient à 100 %. Une centaine de rads suffirait à achever les humains. De nombreux chercheurs se sont intéressés au phénomène. Ils voulaient se confronter à ce monstre de bactérie qui affiche une résistance féroce mais qui se révèle pour nous sans aucun danger. Jusqu'alors la certitude était que, sauf à couler une bonne couche de plomb, rien ne pouvait protéger contre les pénétrants rayons ionisants tels que les rayons gamma.

Finalement, ces chercheurs ont découvert que l'ADN de la bactérie était bel et bien terriblement endommagé mais que, tout de suite après un pareil matraquage, une sorte de magie s'opérait. Les molécules de l'ADN étaient cassées en centaines de morceaux mais, trois à quatre heures plus tard, les gènes réussissaient l'exploit non seulement de se reconstituer mais, plus formidable encore, de se rétablir dans le bon ordre, sans perdre quoi que ce soit du texte génétique qui avait été massacré, au niveau moléculaire, par les radiations gamma.

Pour bien appréhender ce tour de magie, imaginons un fou furieux qui s'acharne sur une encyclopédie riche de milliers de pages et de millions de lettres en la mutilant, déchirant, découpant, massacrant, etc. jusqu'à produire un magma informe de bouts de papiers épars, inextricables, sans sens apparent, définitivement impénétrable et impossible à reconstituer. Qui peut remettre en ordre un texte qu'il ne connaît pas, qu'il ne sait pas lire ? Il n'y pas une intelligence dans la cellule bactérienne pour faire cela ! Et pourtant, elle le fait.

On réalisait finalement que, par rapport à toute autre espèce connue jusqu'alors, bactérienne ou non, la bactérie du corned-beef était capable de réparer son matériel génétique, de remettre son texte génétique détruit en centaines de morceaux en bon ordre, autrement dit de le reconstituer physiquement. On était en présence d'une sorte de phénomène de résurrection. Considérée comme morte cliniquement, cette bactérie trouvait les moyens de repartir en pleine forme !

On se doute que, depuis plus d'un demi-siècle maintenant, beaucoup ont voulu percer un tel mystère. Après les études des années 1960 et 1970, plusieurs laboratoires de radiobiologie et de biologie moléculaire ont repris, à la fin des années 1980, les études avec des méthodes plus puissantes et d'excellents chercheurs, essentiellement américains et britanniques. L'institut privé du fameux séquenceur du génome humain, Craig Venter, venait de séquencer le génome de cette championne de la robustesse. Mais personne ne parvenait à éclairer le secret du mécanisme par lequel cette bactérie faisait ce formidable, cet extraordinaire travail de reconstituer un ADN pulvérisé par la radiation.

Alors je me suis dit : «Pourquoi pas nous? On va essayer!» Bien sûr, on en savait déjà un peu plus qu'en 1956. Cette bactérie avait désormais un nom : *Deinococcus radiodurans. Radiodurans,* parce qu'elle résiste aux radiations. Ses admirateurs l'appellent aussi «Conan la bactérie», en hommage à son époustouflante robustesse.

On pouvait deviner une toute petite partie seulement de son histoire et de son parcours. C'est une des dizaines de millions d'espèces de ce type présentes sur Terre, dans une course permanente à la survie, en compétition avec le reste du vivant.

Alors où, quand, et pourquoi cette espèce-là s'est-elle munie d'une telle résistance ? On le répète : il n'y a jamais eu de radiations ionisantes, depuis que la Terre est Terre, qui équivaudraient aux doses énormes utilisées pour tenter en vain de la détruire.

Certains se sont même demandé si cette bactérie phénoménale n'était pas venue de l'espace. Ayant voyagé sur un météorite, elle aurait nécessairement été irradiée et totalement desséchée. Or elle est aussi extrêmement résistante à la déshydratation, ce qui explique qu'on la trouve même dans les sables du désert. Inutile d'aller si loin. Elle est partout. Dans l'air, sur les plantes, mais surtout dans les mousses, celles qu'on peut trouver par exemple dans nos sous-bois. Si on observe les mousses desséchées qui ont subi des périodes dites de dessiccation, c'est-à-dire une déshydratation radicale, on trouve une petite communauté d'espèces bactériennes et animales très résistantes aux radiations et, évidemment, à la dessiccation.

Si l'on prend un peu de sable dans le désert, on ne va trouver que *Deinococcus radiodurans* et ses semblables, pour la simple raison que toutes les autres bactéries, déshydratées, ont été brûlées par les rayons ultraviolets du Soleil, mortes...

Si on la met dans l'eau, elle va se réhydrater et redémarrer sa vie comme si de rien n'était. Moi-même, je garde toujours un échantillon de sable du désert, vieux de vingt-huit ans, qui était dans l'armoire d'un vieux monsieur, un professeur américain depuis longtemps maintenant à la retraite. Il m'a dit : « Voilà ! Je vous envoie ce petit sac de sable prélevé dans le désert de Sonoma, aux États-Unis. Voyez s'il y en a. » Eh bien, on en a trouvé plein, des *Deinococcus*. Cette bactérie avait été desséchée dans le désert, enfouie dans le sable sec, pour finir dans ce sac en plastique fermé pendant vingt-huit ans. Et pourtant, une fois qu'on a mis un peu de ce sable dans l'eau, la bactérie est réapparue. Ça m'a semblé quelque chose d'extraordinaire. Ce fameux *Deinococcus* complètement desséché n'a pas de métabolisme, ne se divise pas, n'a pas de vie sans l'eau, mais il a cette capacité de ressusciter qui n'est donnée qu'à un tout petit nombre d'espèces vivantes.

Avec une jeune collègue de Croatie, le Dr Ksenija Zahradka, nous sommes repartis de cette seule question : comment est-il possible de reconstituer l'ADN brisé en milliers de morceaux en plusieurs copies dans chaque cellule sans faire d'erreur ?

On n'avait ni l'expérience du travail sur cette bactérie, ni l'équipement nécessaire, mais j'avais un dessin « multicolore » d'un processus imaginaire. Expérience et équipement se trouvaient chez mes collègues, amies et amis de l'université Paris-XI à Orsay et de l'Institut Curie à Paris. Mon premier patron postdoctoral, Raymond Devoret, et ses collègues, Suzanne Sommer et Adriana Bailone, avaient introduit l'étude de *Deinococcus* en France. Dietrich Averbeck, ancien chef de service de l'Institut Curie, avait, lui, l'équipement et une certaine familiarité avec cette bactérie. Ksenija Zahradka, qui était à cette époque ma principale collaboratrice et enseigne désormais à Zagreb, s'est installée chez Suzanne à Orsay. Je leur ai soumis mon dessin. Si la réponse était non, on arrêtait, on rejoignait la bande des recalés et on travaillait sur autre chose.

La chance nous a souri : on a fait des tests et, après quelques modifications, mon intuition s'avérait être la bonne. Nous avons seulement modifié quelques détails du mécanisme. Au mois d'octobre 2006, on a publié notre article dans la grande revue internationale scientifique anglaise *Nature*. Tentons de le résumer le plus simplement possible.

Le *Deinococcus* maintient toujours au moins deux copies identiques de son génome. Cette bactérie est, comme disent les biologistes, diploïde, comme nos cellules le sont également, sauf que les deux copies de chromosomes humains viennent l'une du père et l'autre de la mère. Donc elles ne sont pas identiques, mais du point de vue de la fonction des gènes elles se complémentent, elles sont redondantes. Heureusement, car les mutations seraient plus rapidement fatales pour la cellule s'il n'y avait qu'une seule copie ou plusieurs copies identiques des gènes.

Le *Deinococcus* est diploïde parce qu'il a simplement dupliqué une copie de son génome en deux. Quand il pousse vite, il y a entre six et huit copies, mais, quoi qu'il lui advienne, il possède toujours au minimum deux copies.

Lorsque les radiations ou la dessiccation cassent son ADN, ce sont les deux copies identiques qui sont fragmentées en centaines de morceaux, mais évidemment pas au même endroit.

Si je reprends l'exemple de mon encyclopédie, imaginons qu'il ne s'agisse pas d'un seul livre coupé en mille morceaux mais de deux livres identiques dont les morceaux différemment découpés sont mélangés.

Le texte du livre étant composé de séquences uniques, il est évident qu'avec un peu de patience et en procédant par recoupement et chevauchement, il est possible de reconstituer, à partir des deux copies fragmentées, une copie complète, sans même connaître le contenu du livre. Chaque mot du début et de la fin de la partie déchirée d'un morceau permet, par chevauchement avec un autre morceau comportant le même mot, de reconstituer le fragment d'avant et celui d'après. Le fragment où la séquence dans l'ADN est A, B, C, D va trouver le fragment de l'autre copie, mais qui commence à D, E, F. Ils vont se chevaucher sur D, et c'est là que le montage – comme un montage de films – va se produire. À partir des deux copies, on va faire au moins une copie complète. C'est le jeu du cadavre exquis appliqué à l'ADN. Et ça suffit.

C'est d'ailleurs exactement le procédé par lequel le logiciel dans l'ordinateur aligne les fragments des séquences de l'ADN lors du séquençage des génomes. Les fragments « lisibles » par les machines à séquençage sont d'environ huit cents lettres de l'alphabet de quatre lettres chimiques (A,T,G,C) d'ADN, et, pour le génome humain, il faut aligner les millions de fragments par chevauchement. Ça a pris des années de travail informatique. Une fois « décidé », *Deinococcus* le fait en une heure pour quelques centaines des fragments, mais réellement, physiquement !

Une autre jeune Croate, Dea Slade, a pu, et c'est un tour de force pour son doctorat, identifier quelles sont les molécules qui tiennent le rôle des médecins urgentistes de l'ADN, et comment elles s'y prennent pour réparer les cellules endommagées. Comment elles reconnaissent le chevauchement et comment elles font la soudure ? Comment elles coupent et comment elles réalisent la mosaïque à partir des deux copies pour créer au moins une copie complète ?

Voilà pour la reconstitution des gènes. Mais ce n'était pas suffisant : il fallait aussi comprendre comment une bactérie complètement desséchée, victime d'un cataclysme, d'une sorte d'Hiroshima, avait pu trouver les ressources nécessaires pour se reconstituer toute seule.

Hiroshima s'est rebâti grâce aux ressources humaines. Dans la cellule irradiée, l'activité de reconstruction ne pouvait provenir que des molécules médecins urgentistes. Ces enzymes devaient avoir survécu. Hiroshima s'est reconstruit grâce aux forces d'une immigration non irradiée provenant d'autres régions. D'où sont venues les enzymes vivantes pour sauver notre bactérie ? Certainement pas de régions non irradiées puisque tout a été irradié, et, de surcroît, les protéines ne migrent pas d'une cellule à l'autre. Alors ?

Cette question fascinante fait partie de toutes celles qui restent en suspens. Il faut toujours résister à la tentation de vouloir trouver tout, et tout de suite. J'ai vite compris que l'on se trouvait en face d'une montagne. Déchiffrer l'évolution de *Deinococcus radiodurans* aurait présenté une pente trop raide, pour si peu d'informations disponibles. Il fallait rebrousser chemin et se limiter à cette seule interrogation : comment se fait-il que *Deinococcus* ait pu atteindre une telle robustesse, et surtout pourquoi une telle robustesse ne nous a pas été donnée, alors que nous possédons la même chimie de l'ADN et des protéines ?

Le temps des increvables

Il n'y a aucune raison pour que le *Deinococcus* soit la seule et unique espèce qui ait passé cette sélection lui ayant permis d'acquérir l'immortalité. La preuve ? Depuis qu'on a posé cette question de la robustesse biologique et qu'on a approfondi les recherches, on en dénombre aujourd'hui une quinzaine. Peut-être en trouvera-t-on des centaines d'autres, mais cela concerne encore pour le moment très peu d'espèces. Nous, les humains, si nous perdons 20 % de notre eau, nous sommes morts. On finit comme une pâte de fruit.

Il y a un saut intellectuel à faire. À partir du moment où on arrive à ressusciter une bactérie, peut-on réussir, nous, à nous ressusciter ? On ne devrait pourtant pas être tellement étonné par la robustesse de cette bactérie. Est-on surpris de trouver des semences, des graines, vieilles de plusieurs siècles et encore fertiles ? Là aussi, on a su préserver la vie de l'embryon de la plante. Des chercheurs israéliens ont fait pousser des plantes, des semences dénichées dans les pyramides. C'est la même question : comment est-il possible de préserver si bien la vie ? La bactérie se prête d'autant mieux à ces recherches qu'elle est relativement plus simple que la plante.

Il y a des plantes extrêmement résistantes : la plante de résurrection ou rose de Jéricho. Elle se dessèche. Elle brunit complètement. Il ne faut pas la jeter. Il faut simplement la réhydrater et elle redevient verte.

Le premier être vivant microscopique, invisible à l'œil nu, que l'on a repéré, fut un rotifère. C'est un Hollandais, Antoni Van Leeuwenhoek, l'inventeur du premier microscope, qui l'a découvert. La première chose qu'il a mise sous son microscope fut ces petites bestioles qui nagent dans l'eau, les rotifères – c'est à lui que l'on doit ce nom.

Un jour, il a ramassé dans la gouttière de sa maison un peu de terre et de poussière qui s'étaient sédimentées et resédimentées – ça ne manquait pas, l'eau tombe relativement souvent du ciel hollandais. Donc, il a mis ça dans l'eau. Il a mélangé, il a regardé au microscope et il a vu des bestioles qui bougeaient. Ça l'a beaucoup étonné. Il avait récupéré une poussière complètement sèche, l'avait mise dans l'eau, et ça a commencé à vivre. Il s'est alors posé la question de la création spontanée de la vie. Comment se fait-il qu'un animal assez sophistiqué, qui bouge, qui nage, qui fait des mouvements rotatifs, apparaisse si rapidement à partir d'une poussière sèche ? Nous étions en 1700.

Il faut savoir gré au bonhomme d'avoir immédiatement compris que le rotifère faisait partie intégrante du monde animal. Il y avait des œufs partout. De ces œufs, il a vu éclore de minuscules animaux qui grandissaient. Il a décrit tout ça. Et puis, il a même fait l'expérience de les sécher sur du papier ; de les dessécher et de les laisser sur la table du bureau pendant des mois. Et il a vu que, chaque fois qu'il les réhydratait, il récupérait des animaux parfaitement vivants et qui se reproduisaient.

Les biologistes, pendant deux cents ou trois cents ans, ont étudié ce phénomène. Au milieu du XIXᵉ siècle, par exemple, l'Académie des sciences, à Paris, a lancé un thème : « Allons voir si c'est vrai. » Car beaucoup ne voulaient pas croire qu'on pouvait dessécher un organisme comme aujourd'hui de la soupe chinoise. En sachant, de plus, que l'eau est absolument le milieu irremplaçable de la vie, que toutes les réactions vitales biochimiques ne peuvent se produire que dans l'eau, comment se faisait-il que cet animal, en l'absence d'eau, ne soit pas dénaturé pour toujours ? Comment se faisait-il qu'on puisse mettre la vie en suspens pendant des années ?

En se posant toutes ces questions, on en est venu à faire d'autres constatations. Chose inouïe, à l'état de dessèchement, même s'il durait dix ans, le temps ne passe pas pour les *Deinoccocus*, rotifères et tardigrades.

82

Comme tout être vivant, ce n'est que dans l'eau qu'ils vivent vraiment. Un mois, c'est la longueur maximale de la vie de certains rotifères. Et si on les garde dix ans à l'état sec et qu'on les replonge dans l'eau, d'une façon stupéfiante, ils vont reprendre leur vie exactement là où ils s'étaient arrêtés dix ans plus tôt. Pour eux, à l'état déshydraté, le temps ne s'écoule pas. Leur vie peut être suspendue des milliers de fois plus longtemps que leur durée de vie normale.

Ainsi, il existe aussi des animaux résistant à la dessiccation et aux radiations. Les rotifères dont nous venons de parler, mais aussi les tardigrades. Ceux-ci sont plutôt des minis, très minis crustacés, microscopiques, d'une fraction de millimètre, qu'on trouve également dans l'eau. Le très bon œil d'un enfant pourrait les voir. Ils sont composés de quarante mille cellules avec système nerveux, intestins, etc. Les rotifères, eux, mesurent 1/5ᵉ de millimètre et sont composés de mille cellules et seize neurones ! On les trouve partout. À ce jour, on connaît environ cinq cents espèces de rotifères qui ne prospèrent pas seulement dans les gouttières bataves. Leur endroit préféré, où il est le plus facile de les trouver, c'est dans les mousses qui poussent sur les pierres. Ils sont à l'intérieur de ces mousses qui, elles-mêmes, sont des plantes résistantes à la dessiccation.

Si on apprend quelque chose sur une bactérie comme le *Deinococcus*, mais aussi sur ces deux petits animaux aquatiques qui cherchent la nourriture, mangent et nagent en sachant où aller, et qui sont des êtres assez compliqués, on s'approche déjà de l'humain.

Le saut entre bactéries et tardigrades ou rotifères m'a cependant tout de suite semblé plus grand à accomplir que celui menant des tardigrades et rotifères, petits animaux déjà complexes, à notre espèce humaine. Fort heureusement, grâce à mon maître postdoctoral Matthew Meselson, professeur à Harvard, cela fait des années que nous travaillons sur le rotifère qui, pendant longtemps, n'a intéressé quasiment personne. Meselson a commencé, il y a vingt-cinq ans, à étudier leur génome et leur biologie moléculaire, particulièrement chez ceux qui se reproduisent sans sexe. En effet, seuls les rotifères sans sexe apparent sont robustes.

Avec le Pr Meselson et Anita Krisko, nous avons sérieusement avancé. On a trouvé qu'il y avait une propriété commune moléculaire entre la bactérie *Deinococcus radiodurans* et les rotifères, et que c'est cette caractéristique commune qui les rend si robustes. C'est ainsi que nous avons mis le doigt sur la chimie de la vie et de la mort, et probablement du vieillissement ! On peut donc vivre encore après certains dégâts, que ce soient les dégâts de l'âge ou ceux provoqués, d'une façon aiguë, par radiations ou par un choc de déshydratation.

Nous avons fait un grand saut en découvrant la mécanique des réparations de l'ADN. Et puis, on s'est demandé : est-ce que cette bactérie, ensuite cette bestiole rotifère, ont « inventé » un nouveau système de réparation qu'ils ne veulent pas partager avec les autres espèces ? Est-ce qu'on peut voler ce système de réparation pour nous-mêmes ?

On s'est rendu compte que la bactérie hyper robuste n'a pas innové en mécanique. Et pourtant, elle fait des choses que d'autres espèces ne peuvent pas faire. En fait, elle a simplement fait évoluer le système de protection de ces machineries fonctionnelles que sont les protéines. Elle a réussi à blinder son fonctionnement cellulaire qui est assuré par les protéines. Ce sont elles qui font l'essentiel du travail. Quand les réparateurs sont en bon état fonctionnel, ils peuvent réparer beaucoup plus de dégâts que lorsqu'ils sont amochés. La nature est économe : mieux vaut prévenir que guérir! Mieux vaut la prévention que la thérapie. Je suis d'accord sur ce point avec les bactéries robustes mais pas avec notre stratégie de la santé publique qui préfère privilégier toujours et encore le business de la thérapie, lequel fait gagner beaucoup d'argent, plutôt que de parfaire une politique de prévention qui, elle, ne va rien rapporter... mais sauvera les budgets des États et des systèmes sociaux de la faillite.

Tout ce qui se passe dans notre cerveau, le regard, l'écoute et la réflexion, est le résultat d'une biochimie réalisée par les protéines. La vie, c'est la chimie, et la chimie, c'est la transformation de la matière à l'état moléculaire, le réarrangement des atomes entre différentes molécules. La chimie, c'est de l'alchimie. C'est difficile à imaginer pour nos esprits cartésiens mais c'est ainsi : la digestion d'une pizza, la réflexion «je n'aurais pas dû manger cette pizza, c'est mauvais pour mon régime», ou la détection de l'odeur de la pizza en train de cuire, ce n'est que de la chimie. Plus encore, lorsque deux amoureux vous disent : «il y a une véritable alchimie entre nous», il faut les croire et le prendre au pied de la lettre : tomber amoureux, c'est aussi une question de chimie.

L'ADN n'est important que parce qu'il détermine la structure et la synthèse des protéines (et certains petits ARN importants pour le contrôle d'activité des gènes), mais, comme je l'ai déjà expliqué, ce sont les protéines elles-mêmes qui font le travail, et particulièrement celui de réparer les gènes qui sont les architectes de l'organisme et fournissent les banques de données pour fabriquer les milliers de protéines de chaque être vivant. Ainsi, la boucle est-elle bouclée. L'ADN détient le secret des protéines et la recette de leur fabrication, mais en retour ce sont certaines protéines qui fabriquent l'ADN et qui sont les médecins, les chirurgiens, les mécaniciens de tous les dégâts que subissent les molécules de l'ADN. Or ces protéines sont soumises à un processus oxydatif qui est violent lorsqu'il s'agit d'une radiation et lent lorsque nous le subissons simplement en vivant.

Le métabolisme oxydatif dans les cellules permet de produire de l'énergie en brûlant les sucres à l'aide de l'oxygène. Cette énergétique cellulaire produit elle-même des radicaux d'oxygène, notamment les fameux radicaux libres dont nous avons vu plus haut l'agressivité et la capacité à mettre un beau bazar dans le monde des atomes. Les radicaux d'oxygène oxydent le fer mais aussi les graisses, les protéines, l'ADN, l'ARN.

Peu de choses, sauf le diamant – ce qui explique sans doute qu'il est symbole d'éternité –, résistent à l'oxydation, à cause de ces radicaux à très courte vie, mais extrêmement agressifs, réactifs et corrosifs. Or, ce que nous avons précisément découvert, c'est que la bactérie *Deinococcus* et les rotifères s'arrangent de façon à protéger les protéines contre ces dégâts oxydatifs. Quand on arrive à les protéger, les médecins urgentistes des cellules sont capables de bien faire leur travail, et pendant longtemps, assurant ainsi le fonctionnement efficace de la machinerie cellulaire tout entière : des milliers de réactions biochimiques bien contrôlées ! Dans le travail avec Anita Krisko, rapporté, à la fin de l'été 2010, dans le journal de l'Académie des sciences américaine, nous démontrons – à la surprise des biologistes moléculaires – que le déclin du fonctionnement cellulaire et la mort cellulaire sont parfaitement corrélés avec l'oxydation des protéines et non pas avec les dégâts sur l'ADN. La corrosion des protéines est la cause de la mort, car rien ne fonctionne sans l'activité des protéines, la réparation des gènes inclus.

Je me suis depuis souvent fait cette réflexion. Pourquoi, pendant soixante-dix ans d'expansion explosive de la biologie moderne, qui a commencé par la radiobiologie (la biologie des effets des radiations sur le vivant), les génies de la biologie moléculaire n'ont-ils pas déterminé la cause de la mort cellulaire? Quoi de plus important dans la biologie que la chimie de la vie et de la mort? Je pense avoir trouvé une réponse. Probablement parce que la biologie et la génétique moderne sont basées sur une démarche méthodologique puissante : inactiver par mutation chaque gène et en observer la conséquence, c'est-à-dire le déficit fonctionnel consécutif à cette inactivation. Ainsi, en somme, on a appris ce qui fait qu'un organisme normal fonctionne bien et ce qui fait qu'il ne marche plus ou mal quand une fonction est désactivée.

Mais en utilisant ces mutations handicapantes, nous ne pouvions rien apprendre sur la question : comment peut-on améliorer les performances de l'organisme normal? Pour répondre à cette question, il fallait chercher les mutants à performance supérieure au «type sauvage». Ces mutants naturels sont les organismes robustes, comme *Deinococcus*, rotifères et tardigrades, et là on a trouvé la réponse assez rapidement : il s'agit de ce dont on parle ici, la prévention des dégâts oxydatifs. C'est le début d'une nouvelle biologie, celle des organismes bizarres : la biologie de la robustesse.

Histoires de sexe

On savait déjà qu'existaient diverses formes de suspension de la vie comme, par exemple, l'hibernation des ours qui continuent de respirer, mais très lentement, durant leur état de léthargie hivernale. Avec nos bestioles robustes, on va beaucoup plus loin : toutes les réactions vitales s'arrêtent. Il s'agit d'un état de survie sans vie, d'une étonnante capacité à revivre après l'arrêt prolongé de toutes les fonctions vitales. D'un côté, nous sommes incapables de conserver des morceaux de viande, c'est-à-dire des parties d'animaux, plus de quelques jours au réfrigérateur; de l'autre, un animal entier comme le rotifère ou le tardigrade parvient à se conserver tellement bien qu'il revit, qu'il réactive ses neurones, son système digestif, son embryon dans l'œuf, sa mobilité...

La majorité des organismes vivants, une fois la vie arrêtée, deviennent la nourriture des bactéries et champignons : ils pourrissent. Comment certains se préservent-ils parfaitement à la température ambiante ?

Il existe des différences importantes entre les bactéries et les bestioles rotifères et tardigrades. Les textes de leurs génomes ne se ressemblent pas beaucoup, mais ils partagent le « style » de leur vie reproductive : ils sont asexués. Plus exactement, les bactéries pratiquent une sexualité... mais facultative, elles peuvent s'en servir mais elles n'y sont pas obligées !

Les quelque cinq cents espèces de rotifères sont divisées en deux groupes. La moitié se reproduit de façon sexuée avec le mâle et la femelle, l'autre de façon asexuée par parthénogenèse. Ce sont seulement les asexuées, appelées les *bdelloïdes*, qui sont robustes.

Certaines cellules de leurs corps commencent à se comporter comme si elles étaient un œuf fécondé. Ils se clonent avec leurs propres cellules génétiquement identiques, qui sont au nombre de mille, et ces cellules d'adulte ne se divisent plus. Une fois que le jeune rotifère sort de l'œuf, il a déjà ses mille cellules et il va grandir; mais il va grandir parce que chaque cellule va grandir, pas parce qu'elles vont se multiplier. Et, on le sait maintenant, cela explique aussi une partie de leur résistance aux radiations, car les cellules en division sont généralement vulnérables. Si elles sont agressées, elles risquent de perdre de grandes parties de leur ADN cassé. Si la cellule ne se divise pas, l'ADN peut aussi être cassé, mais généralement avec (sauf si la cassure tombe sur un gène important) des pertes d'information moins importantes, car les morceaux de l'ADN restent dans la même cellule.

Au moment où nous étions prêts, en 2006, à publier notre premier travail sur la bactérie *Deinococcus radiodurans*, j'ai reçu un courrier de mon cher Meselson. «Voilà! m'a-t-il écrit. Ce rotifère qui est asexué m'intéresse parce qu'il se reproduit avec un grand succès sans sexualité apparente; le sexe, ça coûte : il faut être deux pour faire un. Sans sexe, un donne deux, ou plusieurs. Certes, la reproduction sexuée est très importante, la vaste majorité des animaux et plantes ne peut s'en passer. Mais comment se fait-il qu'un petit animal s'en passe et depuis si longtemps? Et surtout, pourquoi sa robustesse, qui ressemble à celle de *Deinococcus*, est-elle associée à l'abandon du sexe?»

Il est fantastique et étrange que les rotifères aient tous le même aspect, la même agilité, mais qu'une moitié se reproduise exclusivement sexuellement. Si le mâle ou la femelle disparaît, c'est la fin de l'espèce. Tandis que l'autre moitié qui, d'un point de vue fonctionnement et performances, a l'air semblable, se clone elle-même, sans sexe.

Lorsque Meselson a dit : « Voilà ! Cet animal est, d'une façon notoire, résistant à la dessiccation. Allons voir s'il est aussi résistant aux radiations », nous fûmes convaincus que la piste était bonne. Il a trouvé que, en effet, les asexués résistants à la dessiccation le sont aussi aux radiations, tandis que les sexués sont aussi sensibles que les autres espèces.

Il est étrange d'observer que nous-mêmes, humains, avons deux parties qu'on admettra essentielles de notre corps, notre cerveau et notre cœur, qui se comportent, du point de vue de la dynamique cellulaire, comme le rotifère asexué, dans le sens où les cellules neuronales et cardiaques ne se divisent pas, ne se renouvellent pas. De quoi laisser fleurir bien d'autres réflexions...

Ce n'est pas tout ! Les biologistes italiens nous ont récemment fait savoir qu'ils s'intéressaient de leur côté à une bestiole tout aussi sensationnelle que les nôtres : une petite méduse marine, *Turritopsis nutricula*, qui ne meurt que par prédation et mort violente, pas de vieillesse. Dans leur laboratoire, elle vit éternellement par une oscillation entre l'état juvénile et la « ménopause ». Cette méduse a deux phases de reproduction : l'une végétative par bourgeonnement, l'autre sexuée. Elle ne tombe pas dans le précipice du vieillissement et de la mort ! Est-ce le début de la biologie de l'immortalité ?

Bizarre coïncidence, étrange alternative : pas de sexe mais l'assurance d'avoir une vie robuste ! Au premier abord, ça ne donne pas vraiment envie de faire le troc. Mais je veux sur-le-champ rassurer tous ceux qui s'inquiètent et leur rappeler que, sans le plaisir du sexe, on serait paresseux, on oublierait de se reproduire, et on cesserait de (sur)vivre.

J'ai cependant une petite idée amusante – et probablement fausse mais tout à fait darwinienne – pour expliquer pourquoi les organismes ultrarobustes ont abandonné «le sexe». Pour les *Deinococcus* et rotifères bdelloïdes, on a démontré que leurs génomes sont des mosaïques contenant les gènes «volés» à tous les royaumes de la vie. Le rotifère a volé les gènes fonctionnels des bactéries, champignons, et plantes. Meselson a bien mis ce vol en évidence. Le *Deinococcus*, de son côté, a volé des gènes à des plantes... Des gènes de robustesse. Par exemple, les gènes LEA volés aux plantes dirigent la synthèse des mêmes protéines qui protègent la semence contre la mort par déshydratation. Chez *Deinococcus* et le rotifère, LEA jouent un rôle semblable en assurant la résistance à la dessiccation.

Mais comment s'est opéré ce transfert des gènes entre les plantes et la bactérie ou le rotifère, entre la bactérie et le rotifère, entre le champignon et le rotifère? Matt Meselson et moi, sans même nous concerter sur ce point, avons fini par penser que nous étions en présence d'un phénomène de «nécro sexe».

Explication. Imaginons de terribles sècheresses telles que notre terre a pu en connaître il y a des millions d'années, mais aussi dans nos temps modernes. Tout le monde meurt sauf *Deinococcus*, tardigrades et rotifères qui se dessèchent en état de vie suspendue. Une fois la pluie revenue, ils se réhydratent et avalent l'ADN des morts comme nourriture. Ils se laissent ensuite génétiquement transformer, selon un processus bien connu des biologistes – par l'intégration de l'ADN étranger dans leur propre génome.

Toutes les cellules sont capables de se modifier génétiquement en gardant, par sélection darwinienne, ce qui augmente leurs chances de survie. Le problème est que tout échange sexuel avec les individus de la même espèce, mais qui, eux, n'auraient pas eu la chance d'avoir récupéré (par le «nécro-sexe») les précieux gènes de la robustesse, ferait perdre l'avantage acquis. C'est un risque à ne pas prendre.

On a raison de récupérer des gènes des autres par le sexe si on n'est pas tout à fait content de ses gènes. Si on n'a pas à s'en plaindre, qu'on est parvenu à collecter péniblement les gènes des trois royaumes de l'arbre de la vie pour devenir hyper-résistant à tout, il ne faut surtout plus rien changer. Il faut «geler» ce précieux génome. Conclusion pratique : surtout plus de sexe avec les semblables qui ne portent pas les mêmes gènes volés !

Évidemment, je ne sais pas si ce scénario correspond à la réalité, je le propose comme si «la nature» elle-même avait une réflexion d'ensemble, mais il est vraisemblable. Une sélection darwinienne semblable à celle que j'expose ici ne se produit pas par réflexion mais par la suppression des événements qui diminuent la capacité à survivre, en l'occurrence le sexe.

Si vous m'avez suivi jusqu'ici, vous en conviendrez avec moi : heureusement que la nature ne s'oppose pas à la modification génétique, car nous serions encore de très simples bactéries, dotées d'un répertoire génétique figé et donc incapable d'adaptation, et, surtout... probablement mortes depuis très longtemps ! L'évolution est une véritable orgie de modifications génétiques. Si nous sommes vivants, c'est que nous sommes des OGM ! Des organismes génétiquement modifiés !

Tu seras un HGM mon fils

Personnellement, j'ai beaucoup moins peur des changements que de l'absence de changements. Il ne faut jamais avoir peur d'avancer, sinon on commence à perdre l'adaptabilité, c'est-à-dire la survie de l'espèce à long terme. S'il convient d'avoir beaucoup de respect pour la médecine qui, tôt ou tard, nous aide à ne pas mourir naturellement, sinon à mourir dans des conditions supportables, ce n'est pas en revanche une injure que de dire de la plupart des médicaments qui nous sont prescrits qu'ils ne sont pas efficaces, qu'ils ne servent souvent qu'à entretenir au mieux un effet placebo, certes parfois bénéfique – mais pas reconnu par ceux qui les produisent. Si nous avions des psychologues suffisamment efficaces, nous pourrions notamment faire l'économie de tonnes de pilules. Entre-temps, on va croire que le Prozac va nous mettre en meilleur état ! Si ça nous met en meilleur état, tant mieux ! Mais, quelle est, exactement, la chimie de cet effet ? Je ne crois pas qu'on la connaisse, parce qu'on ne connaît pas la chimie de l'effet placebo, la neurochimie de l'effet placebo.

En ce sens, les transhumanistes – mouvement né aux États-Unis au début des années 1990 – nous ont rappelé que nous ne sommes pas innocents, que, chimiquement, électroniquement et mécaniquement, nous vivons avec de multiples prothèses. Trois Français sur cinq prennent des médicaments pour se calmer les nerfs, un record mondial ! Ils s'aident chimiquement à vivre leur quotidien. Est-ce que ça va encore augmenter ? On peut le prévoir.

Les transhumanistes font aujourd'hui beaucoup parler d'eux, en bien mais aussi en mal. Voici quatre ans, en tant que membre de l'Académie mondiale des arts et des sciences (World Academy of Arts and Sciences), j'ai pu entendre plusieurs intervenants transhumanistes à un congrès. L'un d'entre eux, un des membres fondateurs de cette société, a fait une présentation qui m'a paru beaucoup plus raisonnable et intéressante que ce qu'on en dit habituellement. Selon lui, il n'y a aucune raison sensée de ne pas continuer à renforcer l'organisme humain en utilisant les nouveaux moyens, biologiques notamment, dont nous disposons, comme nous l'avons fait par le passé avec le « pacemaker » ou la chirurgie oculaire. Les transhumanistes n'ont pas peur d'améliorer l'humain électroniquement et biologiquement, c'est même le sens et le fondement de leur mouvement.

Ce qu'ils nous présentent, à mon sens, c'est l'évidence ! À mon avis, ils se posent aussi les bonnes questions en se demandant si ce qui ne va pas souffrir de l'accélération des technologies et des connaissances, c'est d'abord notre propre corps. Il n'y a jamais eu une pression sélective à s'adapter aux changements aussi forte et fréquente que maintenant. Et une façon d'exterminer n'importe quelle population, c'est d'utiliser des sélections successives. Exemple : on tue les bactéries avec des antibiotiques. Il en survit une sur cent millions. Si l'infection n'est pas massive et si on peut prescrire immédiatement un second antibiotique, on enraye l'infection. Car, avec la survie d'une bactérie sur cent millions, ça laisse une toute petite population de survivantes. Le second antibiotique va exterminer ces survivantes.

En matière de sélection biologique, ce sont les sélections négatives rapprochées qui sont dangereuses. Il faut du temps pour récupérer après la première sélection, sinon on accélère nous-mêmes le processus de sélection.

Les transhumanistes disent : «Soyons raisonnable!
On a besoin que notre corps soit assisté pour survivre
aux conditions que nous sommes en train de créer nous-
mêmes, et à d'autres, telles que celle du climat.» Si cela
doit vraiment chauffer autant qu'on nous l'annonce, le
cerveau sera probablement le premier à se faire cuire.

Comment allons-nous survivre à ça, sans une sorte de
transhumanisme? Rester enfermés dans l'air condi-
tionné? Qui va assurer l'énergie? On ne peut nier que ce
soient de vraies questions. Y a-t-il vraiment une perver-
sité quelconque à vouloir changer génétiquement
l'homme pour le préparer à affronter les «coups durs»
de demain, autrement dit à vouloir accélérer ce que la
nature n'opère que très lentement et aveuglément?

La réflexion des transhumanistes est intellectuellement et scientifiquement intéressante. Eux au moins
sont préoccupés du futur humain. On peut ne pas être
d'accord avec leurs réponses, mais ils ont le mérite de
poser de bonnes questions. Laissons ces questions
ouvertes afin que chacun y réfléchisse. Avec tout le
temps nécessaire.

Dans quelques années, on parlera de l'hystérie contre
les plantes génétiquement modifiées qui a saisi une partie de la société à la fin du XXᵉ siècle – alors que les
hommes étaient déjà et depuis longtemps des HGM, des
hommes génétiquement modifiés.

Jean-Claude Weill m'a généreusement invité à écrire
avec lui un article intitulé «How good is our genome?».
En traduction libre : «Sommes-nous contents avec notre
génome?» Notre réponse a été : Non! Personnellement,
je serais beaucoup plus content avec un génome qui
m'assurerait, ainsi qu'à toute ma descendance, une vie
saine, sans cancer, sans Alzheimer, etc., et, si possible,
mille ans, ou plus...

Nous avons donc publié notre article, il y a six ans, dans le journal de l'Académie des sciences britannique, la Royal Society. J'en ai parlé aussi à Londres à l'occasion du cinquantième anniversaire de la découverte de la structure de l'ADN. Dix-sept prix Nobel étaient présents. Tous les grands du monde entier. À la fin, j'ai été invité à participer à la conférence de presse. La presse britannique n'était pas du tout choquée. « *Yes, why not ? Sounds very good.* » En France, je me serais fait «flinguer», comme l'on dit, comme cela nous est arrivé, à Jean-Claude Weill et moi, à l'occasion d'une mémorable conférence à Paris, à l'invitation de l'«Université de tous les savoirs».

Il y avait, bien sûr, de notre part, de la provocation. En Europe, on déteste les OGM. Or l'évolution darwinienne du début jusqu'à nous, qu'est-ce d'autre qu'une histoire de modifications génétiques ? Si l'on veut s'opposer aux HGM, aux hommes génétiquement modifiés, pourquoi pas ? On conclut une fois pour toutes que nous sommes pleinement contents de nous-mêmes, que nous ne pourrons jamais être aussi proches d'une telle perfection. Contemplons-nous tels des Narcisse amoureux de leur reflet et, circulez, il n'y a rien d'autre à voir et à imaginer.

On ne pourra échapper à ce débat que pose d'emblée notre exemple du cancer : en quoi cette modification génétique, qui consisterait simplement à dupliquer une petite région qui existe déjà dans notre génome, donc de renforcer le système du suicide programmé cellulaire, serait mauvaise ?

Mais on ne décide pas, on n'avance pas, et on ne fait rien pour que cela se sache. Pourquoi ? Ne serait-ce pas, au moins en partie, parce que, pour les grands laboratoires pharmaceutiques, il y a plus d'argent à perdre qu'à gagner. Capitalistiquement, le but de l'industrie n'est pas de réduire le nombre de malades, mais de l'augmenter. On ne scie pas la branche sur laquelle on est perché. C'est accablant mais c'est bien la réalité que je n'hésite pas à dénoncer. Ces industries pharmaceutiques vendent, par exemple, plusieurs nouveaux médicaments anticancéreux (appelés « médicaments intelligents ») pour une valeur de trente à cinquante mille euros par an et par patient. C'est beaucoup, et il y a beaucoup de cancers... J'ai vu la ruine des familles de malades issus de pays où ces médicaments ne sont pas remboursés. Combien d'années de vie ont-elles été gagnées ? Deux mois par malade en moyenne !

Il serait bien de revoir les choses. De toute manière, on ne pourra pas en rester là. Ça a changé dans le passé. Ça va changer.

En France, tout le débat autour des OGM a pollué notre réflexion. Aux États-Unis, il y a eu aussi des débats sur le sujet, mais ils n'ont pas abouti à l'interdiction. Il y a eu une prise de décision d'y aller : avec le soja et le maïs modifiés génétiquement. Pendant ce temps-là, nous, en Europe, nous recyclions les carcasses de moutons malades sous forme de farines qu'on a donné à manger à des animaux et à des poissons... Consternant !

Ce qu'ont fait les Américains est peut être politiquement incorrect pour les cerveaux européens ; ils ont investi dans une nourriture abondante sous forme de soja génétiquement modifié que nous importons pour nourrir notre propre bétail, et qui n'a jusqu'ici donné lieu à aucun accident. Depuis trente ans ! Tandis que nous avons dû abattre des millions d'animaux par peur d'une épidémie *a priori* majeure. Personne n'en a vraiment tiré la leçon. Pourtant on a payé un terrible prix : en argent, en souffrance animale, en peur humaine et, évidemment, avec quelques cas de la maladie de Creutzfeldt-Jakob.

Je ne crois pas au risque zéro. Il y a toujours un risque quelconque. Aux États-Unis, ils ont fait tout le contraire. Ils n'ont pas peur des modifications génétiques des plantes. Ils n'ont pas eu besoin de recycler. Ils n'ont pas eu à tuer des millions d'animaux. Ils n'ont pas eu de malades.

Je ne mentionne pas ce cas pour plaider en faveur du libéralisme américain, je plaide pour l'intelligence et la flexibilité de l'esprit.

On n'a toujours pas de réflexion globale au niveau européen. Pire, il demeure pratiquement interdit de parler de la possibilité de la modification génétique humaine. Ce qui implique, au fond, qu'on a décidé pour nous que, tels que nous sommes, nous sommes parfaits. Rien à changer !

Peut-on éradiquer le cancer ?

Désolé de gâcher la fête mais... prolonger la vie ne veut pas dire que seront vaincues les deux grandes maladies qui inquiètent nos sociétés : l'Alzheimer et le cancer. Nous ne ferons simplement, mais ce sera déjà beaucoup, que retarder – peut-être longtemps – leurs menaces.

Ce qui est particulier plus à la recherche qu'à la science, c'est le processus continuel d'acquisition des connaissances nouvelles. C'est ce qui me fascine toujours, beaucoup plus que la science qui n'est, au fond, qu'une grande connaissance archivée et exploitée selon des codes admis. Dans la recherche, on peut s'attendre à tout. Les principales grandes découvertes n'avaient jamais été imaginées par ceux qui ont fini par les mettre à jour. Un seul exemple : qu'est-ce que la radioactivité ? Des rayons. On ne les avait jamais vus avant Becquerel et les Curie et pourtant ils existaient. Mais à leur époque on ne pouvait pas les anticiper. Il fallait «tomber» sur le phénomène, par surprise, et lui donner un nom.

De la même façon, rien ne dit qu'on ne découvrira pas une substance, un gène, un traitement, qui va spécifiquement empêcher l'accumulation de ces déchets biochimiques dans les neurones, laquelle engendre la maladie d'Alzheimer.

On sait maintenant que, dans la maladie d'Alzheimer, on trouve des masses d'agrégats de protéines dénaturées, inutiles et préalablement oxydées. Le système de nettoyage n'a pas réussi à les dégrader et les éliminer. Du coup, elles s'accumulent et, comme elles sont dénaturées, elles se collent l'une sur l'autre. On ne sait toujours pas ce qu'il faut faire pour l'éviter, sauf les dégrader à temps avant la formation des agrégats, ou dégrader les agrégats dans les lysosomes, ces compartiments cellulaires permettant la dégradation des déchets et particules les plus coriaces. Mais, pour cela, il faut rendre ces machineries de nettoyages cellulaires robustes et résilientes à leur propre oxydation.

Le cancer va encore nous procurer beaucoup de soucis. Le cancer est une aberration évolutive d'où sa propre robustesse. C'est une peau de banane sur laquelle certaines cellules se retrouvent et glissent dans un programme cellulaire que l'on peut appeler l'immortalité cellulaire.

Nous sommes mortels et toutes nos cellules sont (à l'exception des cellules souches reproductives), à l'état normal, mortelles. Cela veut dire que si on isole quelques cellules de notre peau et qu'on les fait vivre dans un jus nutritif à 37 °C dans l'incubateur du laboratoire, elles vont se diviser un certain nombre de fois puis vont cesser de se diviser. Si on les prend sur quelqu'un de très jeune, elles se diviseront soixante-dix à quatre-vingts fois au maximum. C'est « la limite de Hayflick », du nom du chercheur qui l'a découverte. Ce M. Hayflick avait remarqué qu'en prélevant un peu de cellules de la peau, celles-ci allaient se diviser dans le laboratoire en fonction de l'âge du donneur. Le nombre de divisions sera toujours limité, mais il sera beaucoup plus limité pour une personne âgée que pour une personne jeune. Les cellules tumorales, elles, sont immortelles, elles se divisent à l'infini, et c'est cette division invasive à l'infini qui est la cause de la mort de l'organisme lequel se trouve envahi par ces propres cellules indisciplinées.

Dans les années 1950, on a prélevé des cellules tumorales chez une patiente, Henrietta Lacks, une Américaine de Virginie morte à trente et un ans d'une tumeur aux ovaires. Ces cellules, que l'on a appelées HeLa (contraction du nom et du prénom de cette patiente), aujourd'hui encore, continuent sans répit à se diviser dans des centaines de laboratoires du monde entier.

Donc, le cancer est une mutation vers l'immortalité cellulaire dans un corps qui, lui, est mortel. La cellule cancéreuse devient asociale. Elle se divise aux dépens du restant de la société cellulaire qu'est notre corps, et elle exprime l'immortalité par le fait qu'elle continue à se diviser, tandis que les autres, non. C'est la multiplication sans limite de ces cellules tumorales qui finit par tuer l'organisme.

En croissance embryonnaire, les cellules se croient immortelles, il leur faut pousser pour construire le corps du bébé à partir d'une seule cellule initiale – l'œuf fécondé. Les cellules souches embryonnaires ne sont pas spécialisées. Elles peuvent donc devenir n'importe quel type de cellule : des neurones jusqu'aux muscles striés en passant par la peau, etc. Une fois spécialisée, en revanche, la cellule devient mortelle. La cellule cancéreuse, à cause des mutations et défauts qui s'accumulent dans les gènes, fait une sorte de marche en arrière. Elle se « déspécialise ». Elle redevient toute-puissante, omnipotente et... immortelle. Elle retourne au « point mort », où se trouve l'immortalité, et là, elle continue à se diviser.

Ainsi, même le cancer nous enseigne à sa triste façon, si je puis dire, que la vie des cellules humaines n'est pas fatalement limitée, et la cellule tumorale en est une preuve. Le fait qu'une partie des cellules de Henrietta Lacks subsiste encore après plus d'un demi-siècle prouve que les cellules sont potentiellement immortelles. Et, même si elles s'appellent tumeur, il existe déjà des cellules humaines éternelles. Ce n'est pas qu'aucune cellule tumorale ne meure, mais la majorité est vivante. Enfin, même chez les enfants en pleine croissance, des milliards de cellules meurent.

En attendant, cette immortalité-là procure peu d'espoir de trouver rapidement la parade, le médicament miracle contre les multiples cancers. Il en existe probablement près de deux cents espèces. Si l'on procède à l'inventaire de notre corps, nous avons une soixantaine de types d'organes différents, chacun pouvant lui-même subir différents types de cancers. Les cellules se divisent, mutent, changent, ce qui donne un terrain extrêmement chaotique adaptable à n'importe quoi et à n'importe quel médicament anticancéreux. Vous n'avez pas une cible que vous pouvez posément mettre en joue et éliminer : la cible bouge et se multiplie !

Il y a là une course dans laquelle notre système immunitaire s'épuise. En plus, il faut reconnaître ses propres
cellules devenues cancéreuses comme étant «étran-
gères». Mais beaucoup échappent au contrôle. Et si au
début des traitements il y a toujours de bonnes nouvelles, il arrive que celles-ci ne durent pas longtemps.

Les aventures de nos bestioles sont sources d'espoir
pour nous. La possibilité de prolonger la vie avec cette
méthode de la prévention des dégâts et ainsi de ralentir
le rythme de l'horloge biologique va nécessairement
réduire l'incidence de ces maladies difficiles à éradiquer.
Mais que se passera-t-il pour les cellules précancé-
reuses? Je n'en sais rien. Il faut faire des expériences.
On peut déjà imaginer que, dans une population
humaine où l'on vieillirait jusqu'à deux cents ans, on
décalerait non seulement l'heure de la mort mais celle
des cancers. Comment? En gardant en bonne forme les
défenses contre les cancers : les réparations de l'ADN et
l'apoptose – la mort programmée. Chez les enfants, il y a
de bons résultats et les cancers sont rares.

Le vieillissement et le cancer sont en effet très liés.
Doubler l'âge biologique multiplie de cinquante à cent
fois l'incidence du cancer. Si dans un pays, quelque
part, un dictateur cruel tuait tous les gens de plus de
quarante-cinq ans par exemple, il resterait une population plus jeune que partout ailleurs. La fréquence des
cancers dans une telle communauté serait cinquante fois
moindre que la fréquence de cancers dans nos pays. Les
épidémiologistes ont fait leur calcul : s'il n'y avait pas de
cancer on vivrait deux à trois ans de plus, mais si l'on ne
mourait que du cancer, on pourrait atteindre cent cinquante ans. (Dans une optique plus pessimiste ou plus
réaliste, une fois le cancer éradiqué, les autres maladies
se chargent de nous achever – sauf si l'on est capable de

supprimer toutes les maladies liées à l'âge. Et c'est notre projet...)

Prolonger la vie de la façon dont nous pouvons l'imaginer, par la prévention des dégâts moléculaires, permet donc aussi de retarder les cancers, l'Alzheimer et toute autre maladie, mortelle ou handicapante liée à l'âge.

L'espoir au présent

La vraie vie, c'est la vie de nos gènes, entamée depuis quatre milliards d'années. Nos gènes sont immortels, transmis de génération en génération. Ils ne connaissent pas la sénilité. Nous, les porteurs de ces gènes, nous disparaissons. Avec nos ego gonflés, nous ne sommes biologiquement que de pathétiques et éphémères transmetteurs de gènes immortels. De parent à enfant, c'est comme si on se transmettait le témoin d'une course de relais avant de s'écrouler, fourbu, au bord de la piste.

Une fois passée la période de fertilité, nous n'avons plus de valeur biologique, nous ne sommes plus cotés sur le marché de la reproduction. En revanche, pour ce qui concerne la production culturelle, c'est une autre histoire. Elle peut valoir la peine de vivre deux cents ans et plus. Si nous nous décidons à prendre les protecteurs contre l'oxydation pendant que nous sommes encore jeunes, nous irons probablement aussi vers une prolongation quasi automatique de notre vie fertile. Hommes comme femmes. Peut-être d'ailleurs serait-il plus sage de commencer à prévenir le vieillissement après la ménopause pour équilibrer le rapport des personnes productives économiquement et culturellement et des personnes reproductives ?

Beaucoup de mystères concernent encore la signalisation de la ménopause. Il s'agit probablement d'un signal hormonal qui se déclenche au moment où, au-delà, le risque de malformation d'un enfant augmenterait dangereusement. Ce signal intervient sur la production de la lignée germinale. Il est probable que, si on maintenait la jeunesse des cellules qui donnent l'œuf et le sperme, ce signal d'arrêt ne serait pas envoyé.

Peut-être, dans certains groupes humains du passé, certains ont-ils continué à procréer jusqu'à cinquante, soixante, soixante-dix ans... La qualité des gènes dans les cellules germinales chargées de transmettre le gène s'est alors amoindrie, la fertilité a diminué, et le fardeau des enfants malformés a dû avoir son effet darwinien négatif sur ces groupes condamnés alors à disparaître. Il n'existe qu'une façon simple de maintenir la jeunesse et la qualité des gènes transmis d'une génération à l'autre, c'est de les transmettre quand on est jeune soi-même. Au risque, sinon, d'entraîner une extinction de l'espèce.

Mais, dans la vie, tout est flexible. C'est pourquoi il ne faut pas aller trop loin dans les prévisions sans avoir les données. Si les cellules germinales sont vieilles chez la souris de deux ans, chez nous elles sont encore trop juvéniles. La vitesse des horloges est variable, même si la chimie de l'horloge est la même ou semblable.

Si les gènes, présents pour transmettre la vie, vieillissaient, ce ne serait qu'une question de temps avant que chaque espèce ne s'éteigne. Mais le fait de limiter la reproduction à la jeunesse a constitué en quelque sorte une assurance-vie. Dans le cas du sperme humain, il y a vraisemblablement une grande sélection naturelle. Les spermatozoïdes endommagés par les produits chimiques ou autres causes ne nagent pas bien et ne vont pas loin. Leur santé se vérifie par le fait qu'ils nagent plus rapidement que les autres, et ce sont eux qui gagnent le trophée de la fertilisation.

Puis il y a la sélection darwinienne primaire. D'après les expériences «anecdotiques» des médecins, si chaque conception aboutissait, nous serions excessivement plus nombreux que ce que nous sommes présentement mais la majorité serait malade et malformée. Certains experts assurent que, dans au moins la moitié, voire 80 % des cas, il y a un rejet de l'embryon peu après la fécondation. Chez la femme, cela se manifeste par des avortements très, très précoces dont le sujet n'a même pas conscience; sauf quelquefois par des saignements un peu plus importants au moment des règles. Lorsqu'on a pu analyser ce miniavortement, avoir accès aux chromosomes, ceux-ci présentaient souvent des malformations, des aberrations.

Ainsi, un tri se fait-il déjà naturellement et très discrètement, à notre insu, dès le départ de la conception du vivant. La conscience intervient-elle dans ce tri? Je ne sais pas. Il y a des cas – ils ont été décrits dans la littérature – où tout se passe comme si la femme, par exemple, refusait la fécondation par son mari et n'arrivait à garder que le sperme de son amant. Que ce soit cérébral, comme l'est d'ailleurs le choix du partenaire, c'est presque certain. Pourquoi? Cela reste encore une énigme.

Toujours est-il que nous voici ramenés à cette évidence : la nature, sans notre intervention, opère elle-même des sélections au sein de l'espèce. Jusqu'à des temps pas si reculés dans nos sociétés, elle éliminait aussi férocement la moitié des enfants avant l'âge de l'adolescence. Par le biais des multiples maladies infectieuses, le tri par la survie frappait les enfants au système immunitaire un peu plus faible que les autres, ne résistant pas aux eaux mauvaises, à une nutrition et une hygiène insuffisantes. Aujourd'hui, cette mortalité infantile est quasi insignifiante dans les pays développés.

Nous considérons que c'est une bonne nouvelle, mais la biologie darwinienne ne serait pas nécessairement d'accord, car elle n'a pas d'émotion. Pour elle, il n'y a que la robustesse biologique qui compte. Notre robustesse, nous la devons de plus en plus à l'évolution culturelle, et elle est fragilisée par cette dépendance.

Pour en revenir à ce que nous promet ou, tout du moins, laisse espérer l'avenir, observons les progrès liés à la nanotechnologie.

Cette technique, qui consiste à remplacer ce qui est défectueux par de minuscules robots, va nous permettre, dans un avenir très proche, d'expérimenter à une échelle physique beaucoup, beaucoup plus petite que ce que nous pouvons faire actuellement. On pourra analyser les cellules individuellement, au lieu d'analyser grossièrement un milliard de cellules comme c'est le cas avec nos méthodes actuelles, afin de mieux cerner le travail d'une cellule moyenne. Le microlaser, par exemple, permettra de découper les cellules, comme on découpe aujourd'hui certains tissus pour les analyser. On pourra peut-être aller chercher la tumeur, la reconnaître et, pourquoi pas, la dynamiter chimiquement, guidé par des espèces de satellites miniaturisés embarquant un instrument microscopique qui reconnaîtrait certaines propriétés de la cellule tumorale.

À l'heure actuelle, pour ne pas découper tout le monde, pour voir ce qu'il y a dans tel poumon ou dans telle artère, on envoie une minicaméra branchée sur un récepteur hors du corps. On tourne une espèce de film à l'intérieur des vaisseaux sanguins, la caméra voyageant

avec le sang. Sur l'écran, on assiste en direct au repor-
tage de cet envoyé spécial qu'est la caméra microscopique. C'est déjà fascinant! La prochaine étape le sera
plus encore. On n'enverra plus seulement des reporters
à la rencontre des cellules tumorales mais des soldats
d'élite capables de les reconnaître et de les tuer. *Via* la
circulation sanguine, un miniengin, une sorte de miniro-
bot moléculaire va s'attacher à la cellule tumorale, pas à
la cellule normale. Il sera capable d'injecter un terrible
poison cellulaire. Ou quelque chose de plus élégant,
quelque chose qui poussera la cellule à se suicider par un
mécanisme qui s'appelle apoptose. Nous manipulerons
la mort cellulaire programmée. Rien ne s'oppose à cet
espoir.

De là à penser qu'on en vienne, avec tous ces petits
engins et ces nouveaux discours, à bricoler sur notre
génome, cela ne serait pas étonnant. Je le dis ici franche-
ment : cela ne me fait pas peur. Je dirais même que ça ne
me choquerait pas du tout d'opérer une modification
génétique sur moi-même qui serait l'équivalent d'un
vaccin contre tous les cancers, et qui serait transmissible
à mes enfants et à leurs enfants. Qui établirait une sorte
d'immunité contre le cancer au niveau du génome. Une
résistance à tous les cancers, qui serait capable de refuser cela?

Si on parvient ainsi à rendre le génome plus robuste,
pourquoi s'en offusquer? Pour ce qui me concerne,
l'idée de renforcements biologiques est d'autant plus
séduisante que, en réalité, nous sommes déjà bien enga-
gés sur ce chemin. Nous consommons énormément de
produits chimiques dans nos sociétés modernes. Nous
sommes lancés aussi dans le renforcement électro-
nique, comme l'appareil auditif et le pacemaker; en ce

qui concerne les yeux, on peut aller du port de lentilles à des interventions rendant la vue à certains aveugles.

Si j'ai exprimé mon pessimisme sur la possibilité de guérir les cancers, une fois qu'ils sont apparus, en revanche, je suis convaincu, si on nous laisse agir au niveau du génome, que la prévention du cancer est possible, que l'on pourra se garantir de ne jamais en développer, et qu'en plus cette garantie sera transmissible à nos enfants. C'est concevable. Le défi est seulement méthodologique.

Pour être plus convaincant encore, je livre ici cette histoire qui remonte au début des années 1980, quand on commençait à parler du sida. À ma connaissance, la première résistance au virus HIV fut révélée chez une prostituée australienne. Elle partageait les mêmes clients que ses copines et fut la seule à ne pas succomber au sida. Les chercheurs se sont intéressés à cet étrange phénomène. Comment se faisait-il que cette fille fût indemne, miraculée ? Ils ont fini par trouver qu'elle portait, par pure chance et hasard, une mutation rare dans la protéine réceptrice servant de point d'attache du virus HIV à la surface des lymphocytes. La mutation avait suffisamment changé ce récepteur pour que le virus ne puisse infecter les cellules cibles. Quelle chance pour cette femme qui avait été exposée comme ses consœurs au virus mais que le virus n'avait pu atteindre !

Quand j'ai eu connaissance de cette histoire, ma première réaction a été de me demander pourquoi d'autres membres de la famille humaine ne pourraient pas profiter de cette mutation de résistance au sida, à partir du moment où il serait établi, bien entendu, qu'elle n'aurait pas d'autres conséquences «secondaires» indésirables ? En proposant par exemple une thérapie génique «somatique», ce que le Pr Alain Fischer a déjà pratiqué, en grande première mondiale, à notre faculté de médecine Necker à Paris. Si une partie des lymphocytes résiste au virus, c'est suffisant pour sauver la vie du patient. Il sera alors tout aussi possible de transmettre cette protection contre le sida de façon héréditaire, mais je redoute qu'on nous demande d'attendre que les esprits s'habituent...

En tout cas, nous, nous avançons. Mon ami Jean-Claude Weill, qui travaille lui aussi à Necker, tend à croire aujourd'hui qu'il existe des individus portant une petite duplication de la séquence spécifique de l'ADN qui les rend résistants aux cancers de toutes sortes. Les expériences avec des souris ont confirmé cette voie.

Une série d'articles attestent également qu'en leur fournissant en surnuméraire leurs propres gènes de suppression des cancers, les souris peuvent devenir résistantes aux cancers de façon héréditaire. Comme une « vaccination » contre le cancer qui se transmet spontanément à toutes les générations futures.

C'est Jean-Claude Weill qui est à l'origine de cette question. Par son approche, on a compris pourquoi les trisomiques (syndrome de Down) sont très peu touchés par les cancers : un des gènes suppresseurs de cancer se trouve sur le chromosome en copie surnuméraire (3 au lieu de 2). Ainsi les enfants trisomiques sont des humains génétiquement modifiés, naturellement, comme nous le sommes tous sans le savoir. Eux avec une modification génétique massive (un chromosome en plus) mais avec un seul gène responsable de l'acquisition de la résistance au cancer. Une modification génétique dirigée par l'homme consisterait à rajouter seulement ce gène de résistance et, selon toute vraisemblance, nos enfants seraient protégés contre le cancer sans pour autant souffrir du syndrome de Down.

Mourir puis revivre :
le rêve congelé des milliardaires

Ils sont plus nombreux qu'on ne le pense, tous ces milliardaires qui, à leur mort, ne veulent surtout pas être enterrés et encore moins incinérés. Ils exigent d'être plongés dans de l'azote ou congelés, mus par le secret espoir qu'un jour viendra où on saura les réactiver. L'espoir qu'ils ne sont pas morts mais en «vie suspendue». Comme nos rotifères, tardigrades et *Deinococcus*! Ces gens n'ont pourtant aucune idée de l'existence et des spécificités des rotifères et des tardigrades, mais ils veulent croire que la science parviendra à mettre leur vie en suspens pour la faire repartir des années ou des siècles plus tard.

La question est donc posée : par quelles technologies mettre un corps humain hors circulation, hors vie, mais d'une façon réversible ? Comment le placer dans un état abiotique afin de pouvoir le réactiver lorsque la science aura suffisamment progressé pour prolonger la vie et l'exempter irrémédiablement de certaines maladies ?

En l'état de nos recherches, cette grande idée de résurrection devient de moins en moins farfelue. Les plantes, comme la rose de Jéricho (la plante de résurrection), parviennent déjà à revivre avec un grand succès. Puis, avec un embryon caché à l'intérieur des semences, une graine préserve toute sa capacité à donner un arbre énorme. On peut la garder pendant des centaines, parfois même des milliers d'années, à l'état sec de la vie suspendue.

Concernant le corps humain, nous commençons à connaître désormais certains mécanismes de protection des structures cellulaires et intracellulaires de la vie contre les effets nocifs et corrosifs de l'oxygène. Une congélation à −200 °C ou un état de déshydratation radicale peuvent être aussi des solutions. Arriverons-nous un jour à conserver en nous la possibilité, l'option, de revenir à la vie, comme le font mes rotifères et tardigrades, ou la graine, la semence d'une plante ?

Mais une plante n'a pas de cerveau, m'objectera-t-on ! Évidemment ! Quand on sait quelle conséquence peut entraîner un choc cérébral qui laisse un cerveau sans oxygène pendant trois minutes... La référence aux tardigrades et aux rotifères devient donc la plus pertinente. Les tardigrades ont un petit cerveau et un système nerveux. Les rotifères naviguent, agissent à la lumière. Ils vont vers la nourriture. Même s'ils sont microscopiques, ces animaux ont, comme nous, des organes clés.

On sait également qu'il y a des animaux qui nous sont beaucoup plus familiers, que l'on peut congeler, décongeler, et qui retrouveront leur état de marche comme si rien ne s'était passé. Exemple : nos chères grenouilles. C'est presque une expérience de potache. Vous en prenez une que vous plongez dans un bain d'azote liquide à −192 °C. En la ressortant au bout d'un certain temps, elle sera aussi fragile que du cristal, mais si vous la laissez se réchauffer en paix, elle recommencera à sauter comme avant. On sait pourquoi : la grenouille fait partie des animaux à sang froid, pas nous. Mais je ne suis pas tellement impressionné par cette différence.

Ce qui m'impressionne, c'est que la congélation rapide dans de l'azote liquide, et surtout la décongélation, n'ont strictement rien endommagé chez notre batracien des marais. Le squelette, les organes, le cerveau, tout ressort intact. Il n'y a aucune raison particulière de douter qu'à l'aide des protéines protectrices contre l'effet de déshydratation, nous les humains ne parvenions pas à imiter les grenouilles ! Certaines de ces protéines sont déjà bien connues, des protéines qui sont « antigel », ou, comme le sucre, tréhalose. Aussi, peut-être plus tôt qu'on ne pense, réussira-t-on à remplacer notre sang chaud par un liquide qui sera une sorte de cocktail de molécules protégeant contre l'effet de la congélation et nourrissant l'organisme avec des substances protectrices.

Cette question fait depuis longtemps partie de nos thèmes de colloques et de congrès. Il y a une dizaine d'années, même, deux sociétés commerciales en Californie étaient venues nous présenter leurs méthodes de congélation qu'elles proposaient à des milliardaires qui accepteraient de payer les frais de leur congélation et de leur décongélation cent ans à l'avance. La législation aux États-Unis le permet. En Angleterre et en Suisse aussi, pas en France.

Ces recherches sont essentiellement financées par des ressources privées, et on pressent déjà qu'un tel privilège ne pourrait être réservé qu'à ceux qui ont le plus de moyens. Faut-il s'en étonner ? N'est-ce pas ceux qui ont le plus amassé qui ont le plus à perdre ? Ils ne peuvent qu'avoir horreur de l'irréversibilité. Alors, même si on leur dit qu'il n'y a qu'1 % ou 0,1 % de chance que dans deux cents ans ils se remettent en route, ils n'hésitent pas.

J'aimerais bien parler avec ces personnes, mais je peux deviner cependant leur raisonnement : « Mes moyens financiers excèdent les besoins de mes enfants. Aujourd'hui, la science avance. Le fait, simplement, que l'intégrité physique de mon corps soit maintenue à −200 °C, même s'il y a peu d'espoir de le voir un jour revivre, savoir que ce corps n'aura pas disparu, qu'il sera là peut-être comme une pièce d'art, comme une statue, mérite l'investissement...»

Si la décongélation et la résurrection ne sont pas pour tout de suite, j'appartiens à ces chercheurs, on l'aura compris, qui n'aiment pas dire : «Impossible». Il me faudrait suffisamment d'arguments solides pour affirmer que c'est impossible.

On a tendance en fait à apposer le sceau de l'impossibilité sur tout ce que l'on ne comprend pas ou que l'on peine, voire échoue, à imaginer.

Voilà encore cent ou deux cents ans, les personnes les plus instruites en physique pouvaient-elles imaginer des propriétaires de téléphones mobiles se parlant par-delà les océans avec de si petits appareils ? Pouvaient-ils se douter que l'on ferait ainsi abstraction de la distance physique ? Même interrogation pour la télévision. Tentons de nous mettre dans cet état d'esprit. Si on avait parlé aux gens vivant à la Renaissance – époque pourtant bénie pour sa floraison imaginative dans le champ des sciences et des arts – de tous nos gadgets technologiques, comment auraient-ils réagi ?

Et devant Internet ? Ils auraient eu encore plus de mal à imaginer qu'un logiciel bâti au fond à l'image de l'humain, avec une mémoire, des fonctions de communication et d'apprentissage, puisse dialoguer d'une façon apparemment immatérielle avec un autre logiciel. Deux appareils qui communiquent par infrarouge, on ne voit rien se passer entre eux, et pourtant on transmet une quantité énorme d'informations, une multiplicité de films, des tonnes de connaissances. Sans le moindre contact physique direct visible.

Nous aussi nous pouvons difficilement concevoir ce qu'arriveront à réaliser les générations à venir. Pouvoir envoyer les informations d'un cerveau vers l'autre, avec une récapitulation des connections neuronales de l'émetteur chez le récepteur, ne demande plus aujourd'hui une imagination exorbitante. Mais évidemment, on lève les yeux au ciel à l'idée qu'un autre récepteur pourrait bien un jour composer ou recomposer un corps humain. comme une imprimante attachée à l'ordinateur recompose une belle photo envoyée en une demi-minute d'un autre continent.

Pourquoi serait-ce absolument impossible? Le problème à résoudre en l'occurrence est «l'imprimante» du corps humain! On n'a qu'à l'abandonner à l'intelligence des générations futures. Car, comme je l'ai déjà dit, on ne peut pas tout faire maintenant. Il y a des priorités. D'abord, employons-nous à gagner du temps, et du temps de qualité. Voila ce qu'il nous faut.

3

La vie réinventée : rêve ou cauchemar ?

Une idée folle

Le problème qui semble dominer tous les autres, lorsqu'on évoque cette possibilité qui nous sera donnée de prolonger la vie humaine, tient à ce chiffre : six milliards. Six milliards d'hommes et femmes aujourd'hui sur cette planète, et nous savons qu'à ce rythme nous allons tout droit vers les dix milliards. C'est « trop » par rapport aux ressources qu'on doit, en principe, partager. Beaucoup en sont certains : ce rêve d'une vie plus longue se transformera en cauchemar ! On va être trop nombreux, et on sera tous malheureux si on vit plus longtemps. On vivra sans doute plus longtemps, mais si c'est pour être plus malheureux, si on s'insupporte, si on doit garder le même voisin un siècle et le même conjoint cent ans, non merci !

Il est évident que nous serons appelés à changer nos habitudes et à réinventer nos vies. Changer d'endroit plus souvent. Changer de travail. Changer notre vie personnelle en acceptant de changer plusieurs fois de partenaires, sans que cela soit vécu comme un drame. Et puis, il s'agira de reconquérir plusieurs fois de nouvelles places, de nouveaux espaces.

Physiciens et astronomes rêvent de cela depuis long-temps. Pour assurer non seulement la perpétuation de l'espèce mais encore son évolution, cette ouverture vers de nouveaux espaces sera une ardente obligation. Il n'y a, au regard d'autres espèces, que peu de temps que nous sommes sur cette planète, et moins de temps encore que nous avons l'apparence physique et le développement qui sont les nôtres. Pourtant, ils nous semblent si parfaits que l'évolution de notre espèce devrait s'arrêter à ce que nous sommes devenus. Nous faisons preuve d'un tel conservatisme, d'une telle peur de changer ! Une peur, de plus en plus institutionnalisée par nos lois et règlements, et qui finit par agir sur notre corps social telles des métastases. Si nos ancêtres s'étaient montrés aussi craintifs, où en serions-nous à présent ?

Aujourd'hui, nous nous méfions de toute innovation. Nous craignons, même, les connaissances nouvelles. Cette peur, enfouie au plus profond de nous, est incompréhensible : peur de l'incertitude et de l'insécurité ? Quand donc la vie fut-elle certaine et sûre ? Jamais ! Les médias et tous ces marchands de la peur ont réussi à nous laver le cerveau. Nous vivons sous la dictature du sacro-saint principe de précaution au cœur de sociétés qui ont de moins en moins de principes ! Peur que le changement amène la mort ? Pourquoi cette résistance au changement chez des êtres humains qui sont devenus ce qu'ils sont grâce aux changements permanents qui ont contribué à l'évolution de notre espèce ?

Regardons notre vérité en face : le seul véritable obstacle qui se présente à nous est celui des limites des ressources. Difficile aujourd'hui de savoir comment nous allons nous y prendre pour le contourner. En tout cas, il sera quasi impossible de cohabiter sur cette terre, avec vingt milliards d'hommes et de femmes compressés dans des mégapoles gigantesques sans devoir s'entretuer pour l'espace, l'eau et l'air. À moins de révolutionner de fond en comble le fonctionnement de la neurobiologie. Inimaginable !

Pour beaucoup, la seule façon de continuer cette expansion sans s'écharper, c'est de tout recommencer, de compter sur les guerres qui, l'histoire est là pour en témoigner, provoquent un nouvel élan. Rebond économique, mortalité, on regagne un peu d'espace, on respire mieux. On a souffert mais on va oublier. Je ne me suis personnellement jamais aventuré dans cette réflexion.

Je veux croire plutôt que nous allons être capables de changer nos comportements, de conquérir et aménager une autre planète. Certains payent déjà des fortunes pour aller faire une balade dans la stratosphère et revenir sur Terre. Nous n'aurons aucune difficulté à trouver de nouveaux Christophe Colomb et de nouveaux volontaires qui deviendront les nouveaux pionniers extraterrestres. La découverte récente de l'existence de l'eau sur Mars, de ces exo-planètes par-delà notre système solaire même si les quelques centaines découvertes jusqu'ici ne ressemblent guère à notre Terre, permet de commencer à envisager ce rêve ou, du moins, de songer à y envoyer, à des centaines d'années-lumière, quelques molécules du vivant, pour y faire souche. Voilà trois ou cinq siècles, nos ancêtres auraient eu plus de mal à imaginer notre vie d'aujourd'hui que nous n'en avons à concevoir une vie extraterrestre.

N'étant ni physicien, ni astronome, je suis bien forcé en tant que biologiste de revenir sur Terre et de réfléchir aux moyens et aux possibilités de réinventer nos nouvelles vies durables en m'appuyant sur la biologie et une meilleure connaissance de nous-mêmes.

L'égalité devant la mort

Il est difficile d'imaginer la vie éternelle. Est-ce que mille ans, pour nous, serait la vie éternelle? Et, parvenus à mille ans, ne se poserait-on pas encore la même question? On voudra encore aller plus loin évidemment. Si on était une souris intelligente et aussi éduquée que vous et moi... on regarderait les humains avec une jalousie verte, et on se dirait : Regarde! Ce type-là vit trente ou quarante fois plus que moi. Pourquoi? Ce n'est pas juste!

Nous savons que nous sommes tous condamnés à mourir. Nous savons tous comment notre existence va prendre fin et que ce ne sera pas dans mille ans.

Cette égalité ressentie devant la mort est la source et la raison principale de ce qui nous reste encore de cohésion sociale et de solidarité humaine. C'est un peu le sentiment qui m'est venu un jour, sur le paquebot qui reliait New York à Cherbourg. On se retrouve sur le même bateau avec deux mille autres personnes, avec l'impression de faire partie de la même famille. On partage un semblable destin : si le bateau coule, on coule tous ensemble. Ainsi naît en un rien de temps une solidarité avec des gens qu'on n'a jamais vus ni connus et qu'on ne connaîtra jamais d'ailleurs. On se sent familiers sans jamais dire un mot.

Sentiment fragile. Nous pouvons être embarqués à plusieurs centaines dans un avion, nous ne ressentirons jamais une telle empathie, une telle familiarité. Parce qu'on sait au fond de nous que, si l'avion se crashe, c'est la mort instantanée, et qu'il ne sera pas question du tout de solidarité. En revanche, si le bateau coule, il faudra s'aider, se battre ensemble pour sauver sa vie, celle « des femmes et des enfants d'abord ». On intègre le fait qu'on va souffrir, que la mort va être longue et qu'on ne pourra se raccrocher qu'à cette solidarité extrême et morbide.

Tous sur le même bateau, n'est-ce pas ce que nous pourrions nous dire, nous les humains, en parlant de notre planète ? Or il faut bien reconnaître que cette solidarité entre passagers de la Terre est très ténue aujourd'hui. Si, de surcroît, on effaçait cette égalité devant la mort, à quelles réactions psychologiques devrions-nous faire face ?

Des gens en souffrance, pauvres, trouvent consolation dans ce fait incontournable que les plus riches et les plus puissants peuvent aussi attraper le cancer, que malgré leur richesse ou leur pouvoir, ils peuvent mourir plus jeunes qu'un pauvre. Supprimer cette égalité devant la mort aurait sans doute de lourdes conséquences, plus ou moins prévisibles.

Cette égalité pourrait disparaître en effet si la substance que nous nous préparons à mettre au point pour éventuellement vivre très longtemps ne pouvait être proposée à tous et partout gratuitement. On me dira que cette inégalité a toujours existé. Qu'entre un Africain dont l'espérance de vie ne va pas au-delà des cinquante ans et nous les Européens, il serait de la plus grande hypocrisie de ne pas reconnaître cette injustice.

Elle a toujours été là, mais elle n'était, si j'ose dire, que quantitative. Tandis que, si on double ou triple la longévité, les démunis auraient le sentiment terrible que les mieux pourvus peuvent prétendre en plus à l'éternité.

Je me suis bien sûr maintes fois posé ce cas de conscience : que faire si je n'ai pas l'assurance que ce sur quoi nous travaillons ne sera pas gratuit pour tous ? Ranger tous nos travaux dans les cartons ?

C'est déjà trop tard. À partir de la phase expérimentale, de nombreuses personnes, même en dehors du labo, commencent à s'informer. Il sera difficile de contenir et de cacher longtemps une substance pareille, d'obliger les pays à passer par exemple par l'Onu ou l'Organisation mondiale de la santé. Qui peut les empêcher d'aller au plus court ?

La solution ? Je n'en vois qu'une à vrai dire : affirmer le principe que l'accès à ce produit de jouvence relève exclusivement de la santé publique.

Les deux dernières années de la vie coûtent autant que toutes les précédentes à tous les systèmes de protection sociale de par le monde. Si vous mourez à quatre-vingt-dix ans, de quatre-vingt-huit à quatre-vingt-dix ans le montant des dépenses médicales est égal, si ce n'est supérieur, à celui des quatre-vingt-huit premières années de votre vie. Si toutes les maladies qui nous tuent sont décalées et étalées dans le temps, la charge financière serait moins lourde.

J'imagine quelqu'un de cent vingt ans, mais possédant le cœur, le corps, et surtout le cerveau de quelqu'un de quarante ans, et qui aurait déjà passé cent ans à s'instruire et accumuler l'expérience de la vie. N'est-ce pas une belle idée ?

Cette possibilité de pouvoir allonger la vie introduit aussitôt une autre question : faudra-t-il permettre à chacun de pouvoir l'interrompre selon son bon vouloir ? Depuis mon enfance, peut-être parce que je suis né à la fin de la Seconde Guerre mondiale, la liberté est chez moi une obsession. Liberté, liberté ! Dès lors, je considère que ne pas pouvoir choisir quand et comment mourir limite énormément notre liberté mentale. De mon point de vue, c'est une oppression qu'un système quelconque vous dise : Non ! Je t'interdis de faire ce que tu as envie de faire avec ta propre vie ! Chacun devrait, selon moi, avoir le choix de prendre ou de ne pas prendre la pilule de la mort ou la fiole de jouvence.

Bien sûr, j'imagine déjà tout ce que ce genre de postulat peut déclencher. On peut s'attendre à ce que, non seulement les théologiens, mais les philosophes et les penseurs de toutes sortes, s'en saisissent avec avidité ! Les théologiens rappelleront l'interdiction qui nous est faite de contrevenir aux «grands desseins de Dieu». Cette ingérence dans la vie et dans le style de vie de chacun me paraît totalement anachronique. Je suis opposé à toute intrusion de la religion, des religions, comme de la politique, dans nos vies personnelles.

Cependant, ne nous cachons pas que déterminer par nous-même le temps que nous désirons vivre exigera de chacun une certaine maturité. On devrait pouvoir dresser un bilan à vingt, quarante, soixante, quatre-vingts, cent, cent vingt, cent quarante ans, pour savoir si on est satisfait de sa vie. Est-ce que ça vaut la peine de vivre ? Si oui, pouvoir la prolonger. Si non, pouvoir la terminer.

Travail, famille, matrie

Question : quelle sera l'utilité d'une famille dans une vie longue ? Chaque naissance, je l'ai dit, est d'abord une loterie. Chacun d'entre nous n'est que le fruit du hasard que représente le mélange, en combinaisons infinies, des gènes des deux parents. Plutôt que de nous rebattre les oreilles avec le saint mot de patrie, il serait d'ailleurs plus exact de célébrer la « matrie ».

Nous héritons plus des gènes de la mère que de ceux du père. Il n'y a pas de quoi faire une crise de jalousie sur l'inégalité génétique femme-homme, mais quand même! Le chromosome Y, dit le chromosome «mâle», est le plus petit des chromosomes du noyau, avec apparemment un seul gène d'importance, celui qui inhibe la féminité constitutive de tout bon mâle! En comparaison, le chromosome X, «féminin», est grand, important, et les hommes ne peuvent pas s'en passer, donc il n'est pas seulement féminin. Normalement, les femmes portent deux X et les mâles un X et un Y. En plus, il y a le minuscule chromosome de l'organelle cellulaire – la mitochondrie – hérité seulement de la mère puisque seulement porté par l'œuf.

Rappelons encore cette solide vérité : n'ayant pas eu l'occasion de choisir ni nos gènes, ni nos parents, nous n'avons ni la culpabilité ni le mérite de ce que nous sommes et sommes capables de faire.

On ne peut être déclaré coupable d'être handicapé. De la même façon, on ne peut s'attribuer le mérite d'être en bonne santé. Nous avons donc toutes les raisons de devoir partager les fruits de notre travail essentiellement dus à la chance de notre naissance. Nous sortons tous comme différents numéros du même tambour de la même grande loterie des gènes présents dans une population de 6,5 milliards de génomes humains. Au nom de quoi la bonne chance doit-elle être récompensée et la mauvaise punie? Pour la productivité, la société a le droit d'«exploiter» ces talents, en leur donnant les conditions optimales de travail, et c'est tout. Pas de vedettariats infantiles!

L'allongement de la vie devrait nous conduire à l'établissement d'un vrai communautarisme. Sur ce point, je dois à la vérité d'écrire que ma réflexion est freinée par les émotions qui me prennent à signer l'acte de décès de la famille. Comme l'amour, c'est chouette quand ça marche ! Et pourtant, je vois deux bonnes raisons de le faire. D'abord, dans un futur concevable, l'être humain nouveau-né ne sera plus nécessairement issu de seulement deux parents. Pourquoi être l'enfant de seulement deux parents ? Pourquoi pas d'un seul clonage ou d'un millier de parents donneurs de petits bouts de l'ADN qu'on trouve dans le « tambour » de la grande loterie ? On pourra prendre des bouts d'ADN utiles chez d'autres membres de la famille humaine qui bénéficieront d'une résistance au virus du sida, aux cancers..., pourquoi pas !

Ensuite, prenons l'exemple des animaux. Ils abandonnent leurs petits une fois qu'ils ont grandi, et c'est terminé. Notre attachement au cercle familial n'est que le résultat d'une réalité socio-psychologique. La famille, ça fait trop de bien. La famille, c'est ce vers quoi on retourne quand on est à la fin de la vie. « Mort, entouré de sa famille. » Entouré ! On a besoin d'être entouré. La famille demeure encore trop imprimée dans nos habitudes et nos traditions – mais peut-être aussi dans nos gènes – pour parvenir tout à fait à nous en affranchir. Pourtant, si on regarde cette question froidement, nous n'aurions que des avantages à posséder chacun des dizaines ou milliers de parents.

L'allongement de la vie posera aussi le problème du temps de travail. Combien de temps allons-nous devoir travailler, à quel âge la retraite ? Là encore, il sera nécessaire de changer notre fusil d'épaule. En quoi sera-t-il indispensable de fixer la durée du travail de chacun ? Quelle est la bonne raison d'arrêter de travailler si l'on aime son travail, si on est en bonne santé. Bref, si on a envie de travailler ? Ne peut-on imaginer que le travail serait un peu comme n'importe quelle autre consommation ou production ? Se dire : voilà, on a produit tant, ça vaut tant ! Ou se dire : pour la société, sur l'année suivante, je vais travailler seulement trois heures et demie par jour. Et puis, dans un an, on décide de retravailler huit heures dans sa société. Je ne sais pas non plus s'il faut maintenir longtemps la mesure par le temps, ou exclusivement par la perception de la productivité, en ne sachant pas vraiment toujours ce que c'est. La société a le droit d'exploiter nos talents, et c'est tout. La discrimination à cause de l'âge est aussi brutale et injustifiable que la discrimination du fait de la couleur de la peau, l'ethnie ou le sexe, déclarée justement non constitutionnelle aux États-Unis.

Avant, c'était facile : deux kilos de pommes de terre, d'avoine, de viande, de n'importe quoi, ça vaut tant ! Mais quand on commence à produire de l'esthétique ou des gadgets, c'est difficile d'en estimer la valeur. La culture marchande a probablement été la meilleure et la plus créative. Quand on échangeait les biens et qu'il n'y avait pas l'argent, c'était primitif mais au moins chacun s'y retrouvait. D'ailleurs, la crise, par certains aspects, nous fait retourner au troc.

Peut-être y reviendra-t-on vraiment quand le travail sera un peu perçu comme un hobby, un amusement bien plus captivant que la télévision ou les mauvais spectacles car on en sera l'acteur actif. Je n'ignore pas que le droit à la paresse est une vieille idée ! Mais il y a aussi une autre vieille idée : c'est l'exploitation de l'homme par l'homme. Comment s'en sortir réellement ? L'homme vivant plus longtemps, on peut concevoir une société qui n'a plus besoin de régulation, à condition qu'elle ait résolu ses problèmes d'environnement, d'énergie et de nourriture. Une société où on n'aurait plus besoin de salaire : on se sert, un peu comme dans l'ancienne Union soviétique où les sportifs, les artistes, les scientifiques méritants et les politiques, qui, eux, ne l'étaient pas forcément, avaient accès libre à ces magasins dans lesquels ils allaient se servir sans payer.

Ça n'a pas ruiné l'économie, alors qu'apparemment ils étaient plus de trente mille privilégiés à en bénéficier. On leur a dit : Voilà ! Vous n'avez pas besoin d'acheter de voiture, ni d'appartement, ni ceci, ni cela. Ça, on vous le donne. À chacun selon ses besoins. Outre que ces personnes n'ont plus eu besoin de frauder ou voler, possibilité leur était ainsi donnée de pouvoir se consacrer entièrement à leurs activités ou entraînements. Il faut admettre que ça ne s'est pas très bien terminé sur le plan de l'expérience globale. Mais, sur le registre de l'efficacité, je crains qu'on n'ait toujours pas fait mieux. Imaginez la vie sans feuilles d'impôts, sans extraits de comptes bancaires, sans souci de la bourse, sans avocats... Paradis sur terre !

Bien sûr, cela tient toujours de l'utopie, mais pourquoi ne pas tenter à nouveau de s'en approcher dans l'avenir en tirant profit des leçons du passé ? Je crois que, demain, nous aurons surtout besoin d'une absence de contrôles et de dirigeants, de l'effacement de ces «tutelles» qui veulent imposer des règles sérieuses et qui finissent toujours par profiter des autres. Comme le dit Bernanos, «face à la passion de la hiérarchie, il faut opposer le besoin de fraternité».

Le privilège de l'âge

Il faut bien constater que l'autorité rassure beaucoup d'entre nous. Et puis, plus les temps se font incertains, plus l'exigence de sécurité l'emporte sur le rêve de liberté par une sorte d'instinct animal. C'est bien là le vrai danger qui nous menace, nous et nos enfants. Une course de vitesse est engagée. Notre jeunesse paraît devenir trop terre à terre. Sans ignorer rien de ses problèmes ni de ses soucis, du stress qui peut la frapper, rien ne justifie qu'elle soit à ce point tétanisée, comme si elle avait perdu son culot ! C'est presque parmi les vieux que surgiraient aujourd'hui le plus d'innovations et d'idées nouvelles. Ils ont cessé d'avoir peur.

Il est faux de penser que la créativité s'amenuise avec l'âge. La vieillesse, contrairement à ce qu'en a dit le général de Gaulle, n'est pas toujours un naufrage ! Si l'énergie diminue, les possibilités créatrices ne suivent pas la même courbe. La quantité diminue mais pas la qualité. Les recherches ont montré que seuls la créativité et le sens de l'humour ne diminuent pas comme d'autres performances avec l'âge. Établir un parallélisme entre les courbes de notre forme physique et notre forme intellectuelle serait une ineptie.

Des études en Suède sur l'expression réelle de la créativité ont indiqué que la courbe d'expression de la créativité par rapport à l'âge avait plutôt le profil d'une belle banane ou d'un large sourire. On peut y voir une certaine logique. Jeunes, nous avons peu de connaissances et donc peu de limites et de contraintes imposées par le savoir. On est créatif, on « déconne ». À l'âge censé être le meilleur, *grosso modo* entre trente et quarante-cinq ans, nos capacités d'expression créatrice sont pourtant au plus bas. On gère. On a des enfants. On a des parents qui vieillissent. On n'a pas encore dans le travail la sécurité totale. On doit faire attention à ce que l'on dit, à ce que l'on fait.

Bref, ce qui devrait être le meilleur âge en termes d'équilibre de l'énergie, de la connaissance et de l'expérience acquises, est en fait le point le plus bas dans l'expression de la créativité humaine. Et puis, les enfants quittent la maison, les parents disparaissent, on détient normalement un emploi stable. Ainsi, à partir de cinquante-soixante ans, cette créativité augmente à nouveau, on peut à nouveau « déconner », on peut redevenir créatifs. On se moque du qu'en-dira-t-on...

L'âge que l'on affiche est décidément trompeur. Vous savez que vous avez cinquante-six ans grâce à votre acte de naissance, mais votre âge biologique peut correspondre à huit ans de plus, ou cinq ans de moins. Si nous disposions en plus d'une machine à étalonner l'âge mental, la capacité à apprendre, à être productif, beaucoup de trentenaires pourraient être moins prometteurs que des septuagénaires. Heureusement, cette machine n'existe pas encore, sinon on verrait naître certaines industries de « triage humain ».

Car, rassurez-vous, je ne suis pas pour une hiérarchisation, ni une stratification de la société, sur la base suivante : qui est créatif, qui n'est pas créatif. Les gens qui paraissent non créatifs n'ont en réalité pas eu de chance. Ce n'est pas leur faute. Peut-être même, mais on n'en sait encore rien, est-ce tout simplement dû à un défaut génétique. En revanche, on peut déplorer que beaucoup n'aient pas eu la chance de pouvoir choisir la profession qui correspondait le plus à leur génome et à leur éducation.

À chacun devrait être donnée l'occasion, avant de choisir ses études, de tester de nombreuses professions. Mais la société ne tient guère à ce que l'on traîne en route ; elle compte sur notre productivité. Si nous sommes assurés que nous allons pouvoir doubler notre temps de vie, peut-être alors nous fera-t-elle le cadeau de nous consentir une sorte de période probatoire.

Choisir sa profession devrait équivaloir à choisir la nourriture. Avant de savoir ce que l'on apprécie, il s'agit de goûter. Pourquoi serait-ce différent ? Impose-t-on à un enfant de faire une carrière de violoniste s'il n'a pas d'oreille ?

La peur de s'ennuyer fait partie aussi des réticences à l'allongement de la durée de vie. Pourtant, lorsqu'on s'avance dans la vie, n'a-t-on pas plutôt le sentiment que le temps court de plus en plus vite, « qu'on ne le voit plus passer » ?

Tout le monde ne peut être que d'accord : plus âgé on est, plus courte apparaît une année. Quand on a quatre ans, une année, c'est 25 % de la vie. Quand on a quarante ans, c'est déjà devenu 2,5 % seulement. Notre perception du temps s'établit par rapport à la vie vécue, mais n'est-ce pas l'approche de la fin qui nous donne cette impression de raccourcissement ? On n'a pas tranché. Je n'ai pas connaissance de recherches qui aient posé ces deux hypothèses et tenté d'observer comment les gens perçoivent cette notion du temps qui file. Cela dit, est-ce vraiment si important ?

S'ennuyer ? On s'ennuie quand on est passif. S'il s'agit d'être seulement à la moitié de sa vie à cent ans, tout dépendra de la productivité des gens dans leur cadre professionnel aussi bien que dans leur cadre personnel.

Déjà l'Internet et le petit ordinateur portable recrutent de plus en plus de personnes libres et indépendantes qui travaillent seules dans leur coin tout en demeurant en contact avec le reste de la société. Il n'est pas interdit de penser qu'un tel phénomène ira en s'élargissant, ainsi qu'on le constate déjà actuellement chez les jeunes. *A priori*, personne n'aime avoir un chef ou une hiérarchie de chefs. Ces jeunes sont de plus en plus nombreux à se lancer dans cette aventure, certes risquée, mais où ils acquièrent une plus grande liberté. Ce nouveau code du travail peut faire exploser la créativité humaine. Quand on est ensemble dans un laboratoire ou dans un atelier d'architectes, on profite, évidemment, de la connaissance des autres. Mais si l'on est connecté sur l'Internet et si l'on vit bien ce mode relationnel, les risques sont moindres de barrières et d'irritations dues aux incompatibilités personnelles, et les terrains d'innovation et de hardiesse peuvent prendre une autre dimension. J'en ai régulièrement la démonstration. Ceux qui ont l'expérience des laboratoires et de la recherche disent souvent aux jeunes : Ça ne va jamais marcher ! Ne faites pas ça, ça n'a jamais marché ! Et tant de fois le jeune n'écoute pas ! Il le fait et, au bout, il y a parfois une découverte majeure.

Le sexe garanti

Si on accepte de prolonger la vie en réclamant le maintien d'une pleine activité physique et mentale, le contrôle de la croissance de la population humaine et donc de la procréation, à mon avis, s'imposera. En prolongeant la vie, est-ce que, pour autant, le temps de la procréation sera plus long ? C'est aussi une question fondamentale.

Qu'est-ce que je peux prévoir ? Une population humaine où le nombre des individus culturellement productifs par rapport aux individus biologiquement reproductifs va fortement augmenter en contrôlant la reproduction. Notre évolution biologique va ralentir un peu, mais elle n'est plus la source crédible de notre adaptation à la vie. Au regard du rythme du progrès qui s'accélère, cette évolution biologique est beaucoup trop lente. C'est l'évolution culturelle qui nous aidera à nous adapter. Les jeunes vieillards, jeunes physiologiquement et munis d'une grande connaissance et d'une énorme expérience, constitueront notre espoir pour accélérer l'évolution culturelle. Pour pouvoir survivre, vivons longtemps en étant jeunes! Vivons beaucoup!

Corollaire de ce postulat : et le plaisir du sexe? Est-ce qu'en prolongeant la vie, on va prolonger les joies du sexe?

Il y a longtemps maintenant qu'on a émancipé le plaisir sexuel de la reproduction. Cette question se résume donc à une capacité biologique dépendant de la circulation sanguine. C'est une physiologie comme toute autre physiologie. En conséquence, il n'y a aucune raison que cette capacité dégringole plus vite que les capacités musculaires ou cérébrales relevant elles aussi de la circulation sanguine. Cela étant, pas mal de comportements vont naturellement changer «à l'insu de notre plein gré», comme l'on dit dans les pelotons. Ce ne sera pas la première fois dans l'histoire de l'humanité, et particulièrement dans l'histoire de la femme.

Prenons un chimpanzé, un gorille, et un homme. Voyons leurs méthodes de séduction et de la propagation de leurs gènes. Le gorille a investi surtout dans les muscles et moins dans la quantité du sperme : il a de tout petits testicules et d'énormes muscles. Par sa force physique brute, il tient à l'écart les concurrents tant qu'il est fort. Quand il s'affaiblit, c'est un autre individu avec des muscles plus puissants que les siens qui va prendre sa place.

Le chimpanzé, de carrure moins impressionnante, a au contraire misé sur la quantité de sperme et de gros testicules, il peut essayer souvent et plus longtemps de se reproduire.

L'homme a longtemps été un mélange des deux, gorille et chimpanzé. Jusqu'à une période récente, les muscles comptaient : il fallait défendre son territoire, labourer la terre, il fallait être en pleine santé, survivre à la mer pour ramener des poissons, la nourriture, etc. Les femmes ont donc été aussi séduites par la force physique, par la santé, car elles y voyaient une assurance-vie pour elles, leurs enfants et ceux de la génération suivante.

Et puis est arrivé le système monétaire ! L'argent, les banques, les traders ! Les femmes cherchent maintenant moins les muscles et les gros testicules. Elles préfèrent plutôt l'argent qui serait le plus efficace moyen d'assurer les plaisirs de la vie et la survie de la descendance. Conséquence ? L'esthétique du partenaire commence à s'affadir, le sex-appeal naturel pèse moins que le sex-appeal d'un compte en banque bien garni. Et on voit ce que cela donne : ce ne sont pas les plus belles filles qui sont, forcément, avec les plus beaux garçons, sauf si les plus beaux garçons en question sont aussi milliardaires. Des très beaux mâles, dans le village, il y en a, mais les top models ne s'affichent pas à leur bras.

Ainsi, on a déjà évolué dans ce goût esthétique qui servait, du point de vue de l'évolution darwinienne, à choisir les meilleurs gènes pour garantir la survie de la descendance. Toutes les femmes, heureusement, ne sont pas des top models ! Vive la diversité ! Mais sur ce terrain-là aussi, comme sur celui des connaissances, existe le danger, en l'occurrence par la sélection des partenaires, de voir se réduire les particularités de l'individu.

L'orgasme de la mort

Nous pourrions nous amuser à penser que la maturité des humains, à qui seront donnés cent vingt ans d'instruction, les fera réfléchir sur la mort avec un peu moins d'appréhension que nous. Pour en finir avec la terreur de la peur de la mort, nous pourrions même aller jusqu'à envisager la façon la plus joyeuse de partir de ce monde dès l'instant où nous considérerions que ce moment est venu. Cette joie pourrait même devenir, j'ose le mot, une jouissance !

Si on ne veut pas avoir peur de la mort, il existe, selon moi, une façon très simple : être sûr que le moment de mourir sera un moment de plaisir énorme. Mourir de plaisir !

Pour beaucoup, il ne s'agit pas de peur de la mort, mais du processus qui mène à la mort, de la déchéance qui peut l'accompagner, d'une souffrance prolongée à l'issue connue d'avance. Si la science pouvait avoir le génie d'élaborer un scénario où, en effet, on aurait l'assurance de pouvoir partir avec la plus grande joie et la plus grande jouissance qu'on ait jamais éprouvées de toute notre vie, la peur de la mort serait bien moindre. Avec cette certitude, ajoutée à celle d'une vie de toute façon considérablement rallongée, attendre la mort serait beaucoup moins stressant et traumatisant. Sinon, évidemment, partir à deux cents ou trois cents ans générerait la même peur qu'à quatre-vingts ans aujourd'hui.

Au cours d'un congrès de génétique à Melbourne, je me suis amusé à réfléchir avec un cher ami et collègue, Errol Friedberg, un grand scientifique et un médecin aussi sérieux que moi... ! Comment rendre la mort hyper joyeuse ? Comment espérer un plaisir tellement agréable et extraordinaire que nul ne pourrait regretter de quitter ce monde ? De quoi serait fait ce grand plaisir ? Curieusement, nous n'avons éprouvé aucune difficulté à nous mettre d'accord : c'est le sexe, c'est l'orgasme. Parler de sexe et d'orgasme à des personnes âgées, à des futurs bicentenaires, on ne peut évidemment pas nier que ce ne soit pas original !

Nous sommes partis de l'idée que, sur ce terrain-là aussi, nous allions progresser. Tôt ou tard, on va connaître la biochimie de l'orgasme. Nous n'ignorons pas que ça vient du cerveau. Que les organes génitaux ne sont que les stimulateurs d'une certaine neurochimie. Ainsi, le jour où on va savoir quel cocktail de substances chimiques, de petites hormones, provoque l'orgasme, il ne sera plus impossible de le recomposer, de façon émancipée, si je puis dire, des organes génitaux.

On prendra du Viagra ou une autre pilule si on veut que les organes génitaux participent à cet orgasme. Mais ce ne sera plus une nécessité. L'orgasme pourra n'avoir lieu que dans la tête, *in abstracto*. Son intensité ne dépendra que de la qualité et de la quantité du cocktail chimique absorbé ou injecté.

Il existe aujourd'hui un petit appareil, le holter, capable de mesurer notre rythme cardiaque pendant vingt-quatre heures, temps de sommeil inclus. Il existera demain un autre petit appareil qui saura analyser la chimie du sang quand il circule dans toutes les situations d'une journée sans exception. Cette analyse biochimique du sang pourra nous montrer quelle est la chimie de l'orgasme.

Mon collègue et moi avons donc déjà pris les devants. Nous avons imaginé un autre petit appareil, semblable à une montre, que nous avons baptisé « orgasmomètre ».

Sur une échelle de 100, un orgasme normal ferait 20, 25 ou 30. À l'extrême, quand on pleure, par exemple, c'est peut-être 35 ou 40. À 100, ce serait mortel : l'orgasme final. Mais pour provoquer l'orgasme, il nous faut un autre petit appareil indispensable, l'«orgasmotron», lié directement au sang par de très fins capillaires. Il servirait à injecter les quantités nécessaires pour déclencher dans le cerveau un orgasme d'intensité donnée.

Ces deux appareils nous permettraient d'organiser le dernier orgasme de la vie. Mourir d'orgasme! Ce pourrait être d'un romantisme fou. Né de l'orgasme des parents et mort de son propre orgasme, la boucle serait majestueusement bouclée. Quelqu'un a une meilleure idée?

Il n'est pas si sûr que nous soyons encore une fois ici dans la science-fiction. Nous saurons demain dissocier l'orgasme cérébral neurochimique de la mécanique des organes génitaux. Ce sera un considérable progrès! Ce serait la garantie de connaître tout au long de cette vie le plaisir sexuel. On ne parlerait plus d'impuissance. Si le but de toute la «gymnastique» horizontale, c'est l'orgasme, pourquoi ne pas s'assurer le moyen d'y parvenir en «œuvrant» moins?

Le seul problème qui se posait à notre réflexion était celui-ci : qu'est-ce qu'on va faire avec ces anciens qui vont annoncer à leur famille et à leurs amis : «Voilà! Je vais partir le 13 mars.» Tout le monde est là le jour dit, et puis il déclare : «Ah! J'ai changé d'avis.» Il leur fait le coup une fois, deux fois, trois fois. Il y a bien des gens qui changent d'avis juste avant le mariage. Mais dans une telle situation, ce serait encore plus pathétique! Alors on a décidé de punir ces tricheurs. Quand ils se seront rétractés trois fois, ils seront condamnés à mourir de mort naturelle!!! Fin de l'histoire.

La révolution finale : vers une société de fourmis ?

Si nous réussissons à vivre plus longtemps, je suis presque sûr qu'on va perdre patience avec la nature et, dès lors, la question de l'homme génétiquement modifié ne se posera plus dans son principe. Il s'agira plutôt de savoir ce que l'on veut modifier. On voudra commencer par se débarrasser du fardeau génétique qui nous empoisonne la vie, telle que, par exemple, la mucoviscidose qui fait tant souffrir ses victimes. On va décider de renforcer le génome individuel et devoir se choisir des priorités. On n'échappera pas à ce choix. Il sera le suivant : bâtir, avec la génétique, un humain robuste qui aura de nombreux plaisirs, qui ne sera pas efficace en tout, mais qui aura une large palette de capacités et de détente. L'homme ludique ! En gros, nous, en plus solide. Ou, au contraire, fabriquer des hyperspécialistes, des hyperefficaces, mais très fragiles sur les autres terrains. L'homme spécialisé !

Je pressens bien où sera la tentation. La spécialisation. L'efficacité. La sécurité. La certitude. Avec une tête qui n'a plus besoin de réfléchir. La nature l'a déjà inventé. La fourmilière ! Cette organisation comportementaliste, « eusociale », très rationnelle et fascinante, peut être rapprochée de celle de la société des abeilles. Si nous, les humains, nous en venons à notre tour à ne plus former qu'une seule fourmilière globalisée, il n'y aura plus de guerre, car tout deviendra extrêmement bien contrôlé.

On aura la certitude et la sécurité au prix de la liberté et de l'évolution. Plus d'individualité, plus d'angoisse du changement puisqu'il n'y aura plus de changement. Chacun sa spécialité, chacun son job. Il y aura une division stricte du travail. Toi, tu seras travailleur, toi le guerrier, toi la femme de ménage, toi le géniteur, toi la grande reine qui décides qui fait quoi.

L'efficacité des fourmilières est redoutable. Les études sur l'ADN des fourmis ont révélé qu'une seule souche de fourmis s'étale déjà de l'Asie à l'Europe. Les fourmilières peuvent faire plus de huit mètres de profondeur, et ce sur des kilomètres carrés. Des millions de canaux souterrains selon des tracés précis, une «urbanisation» que nous n'avons jamais pu imaginer.

La société des fourmis est terriblement bien organisée autour d'une reine qui décide quelles sont les «professions» à pourvoir. Si on devait repérer deux espèces qui n'ont pratiquement pas de prédateurs aujourd'hui, ce sont l'homme et les fourmis. Le royaume des fourmis sous terre, le royaume des hommes au-dessus.

Alors, sommes-nous prêts à accepter une fourmilière humaine sur Terre? Avec nos exigences de sécurité plus que de liberté, de certitudes plus que de vérité, d'efficacité plus que de plaisir ou de polyvalence, avec cet Internet aussi qui conduit à la globalisation de tout, ne sommes-nous pas déjà en train de creuser notre fourmilière? Nous avons déjà des grosses reines qui se préparent à jouer leur rôle : «Vous voulez la sécurité et la certitude? Je peux vous les donner, mais...»

Nos amis les managers, en étroite collusion avec les présidents des grandes compagnies, et d'accord en cela avec nos grands politiques, tendront, sans le vouloir, sans vouloir faire de mal, vers l'efficacité. L'individu à qui ira leur préférence sera celui qui pourra dire avec la sérénité du juste : «Je suis efficace pour l'État, pour ma société, je fais mon boulot et je ne fais pas peur à mon P-DG.»

Je ne cache pas ma préférence pour l'homme ludique, imprévisible, les franc-tireurs, les incontrôlables. Je ne m'imagine pas diriger et gérer les autres. Je n'ai aucun goût pour ça, même dans mon propre laboratoire, même dans ma famille. Je veux encore moins être le pion de quelqu'un d'autre ! Mais nous voyons bien le mouvement qui se dessine. La multiplication des sectes, la propagation des fanatismes religieux, ethniques ou nationaux dans les pays riches sont bien la preuve d'une abdication de l'individualité devant la quête illusoire de la sécurité et de la certitude. Seul un grand choc culturel, qui secoue vraiment, pourrait, selon moi, nous réveiller, nous remettre les deux pieds sur le chemin de la liberté. Si l'on se débarrasse de la peur de mourir, ce grand choc peut survenir.

La crétinisation galopante

Pourra-t-on vieillir en bonne forme, en ayant, selon l'expression populaire, «toute sa tête» ? A-t-on la certitude que le cerveau a les moyens de résister à une longue vie ? *A priori*, avec les connaissances actuelles, il n'y a pas de raisons biologiques de penser que les protéines des neurones protégées contre l'oxydation ne fonctionneraient pas bien tout au long de la vie.

La capacité de nos neurones à créer les connexions est remarquable. C'est grâce à elle que nous nous souvenons de choses vues ou entendues. Mais quant à savoir comment ça marche vraiment, on n'en a finalement qu'une vague idée. Chaque neurone peut réaliser dix mille connexions qui se font et se défont en permanence, ce qui donne un aperçu de leur dynamisme. L'acuité verbale et l'humour chez Jeanne Calment ont montré que, même passé cent ans, le cerveau peut marcher remarquablement bien. Donc, c'est possible. Il suffit qu'il n'y ait pas de dégâts excessifs. Autrement dit, si le fonctionnement des éléments actifs cellulaires que sont les protéines est en très bon état et si on entraîne le cerveau en étant toujours « étudiant » même à cent cinquante ans, il n'y a pas de raison qu'il défaille.

Il ne fait pas de doute que le miracle d'Internet pourra nous aider. Pour le moment, ce média n'est pas suffisamment « vivant », suffisamment interactif. Il ne dialogue pas beaucoup avec nous. Il faut savoir ce qu'on cherche ou se lancer dans une recherche aveugle : Est-ce que je vais tomber sur quelque chose d'intéressant ?

L'Internet est plutôt source d'informations que source de formation. De cette source d'informations, on a besoin, mais nous sentons bien que ça ne suffit pas. Sinon, les jeunes à partir de dix ans n'auraient plus besoin d'aller à l'école. La quantité d'informations est bien plus grande sur Internet que dans la tête de tous leurs professeurs réunis.

Nous sentons bien aussi qu'on n'a plus besoin de professeurs dans un sens classique, mais plutôt d'animateurs, de maîtres d'apprentissage, de stimulateurs du talent des autres, d'animateurs de la curiosité. Leur rôle sera d'amener nos jeunes à savoir inventer et formuler les bonnes questions à poser sur l'Internet. Créer chez eux une motivation structurée, vivante, dynamique. Leur apprendre à avoir faim de connaissances. Leur inculquer la passion de la curiosité. Sinon, l'Internet peut aussi devenir aussi anesthésiant que la télévision, étant donné que les deux ont le grand défaut de nous isoler d'interactions humaines, sources de stimulation, d'animation et de motivation par l'éveil des émotions.

Il va nous falloir davantage d'éducateurs charismatiques dotés de personnalités intéressantes, avec un « sex-appeal » intellectuel, capables d'éveiller les talents latents chez les étudiants. Des gens qui aiment et savent raconter de belles histoires, y compris des histoires scientifiques, qui auront le talent de mener à de nouvelles questions qui n'ont pas encore été posées. Comment transformer cette question en système de recherche des réponses sur l'Internet ? Jusqu'à présent, on laisse plutôt le jeune étudiant s'aventurer lui-même dans la profonde jungle des informations. D'ailleurs, pour certains, ça devient une aventure motivante. La motivation, c'est peut-être le mot clé.

Personnellement, c'est sur la motivation, sur la soif de connaissances, que je sélectionne les gens pour mon laboratoire. Pas sur leurs quotients d'intelligence, pas sur les notes de leurs examens, mais sur cette soif de connaissances qui accompagne la curiosité éveillée. Je veux qu'ils deviennent capables de fabriquer leur propre logiciel pour dominer et non pour se laisser dominer par cet Internet qui ne cesse, lui, de multiplier en permanence la quantité de données « sans âme ». Quand on est chercheur, par définition, on cherche quelque chose, mais quoi ? Comment cherche-t-on l'inconnu, et quel inconnu ? Comment arriver à la surprise et faire la découverte ? Et, une fois atteint notre but, quelles conséquences pratiques en découleront : désirables, indésirables, bonnes ou mauvaises, et pour qui ? Pour tout le monde ou pour une minorité privilégiée ?

Dans mon domaine aussi, nous nous avançons vers la préparation d'une révolution, car les conséquences prévisibles sont d'envergure.

Les « révolutions » préalables avaient pour but de nous libérer du travail mécanique. La révolution informatique dans laquelle nous nous trouvons en vient à nous libérer même de la partie la plus astreignante du travail intellectuel. Avec toutefois un risque majeur :

que progressivement notre intellect «s'internétise», se globalise. Ce qui donnera aux cerveaux individuels moins de contenus spécifiques pour écrire des poèmes, être amusants, séduire, mais aussi procurer l'amusement à l'apprentissage comme précurseur de la productivité.

Il ne faut pas se cacher la réalité. Nous assistons à l'industrialisation galopante de la crétinisation. Nous sortons de la culture de l'individualisation, marquée particulièrement par l'isolement social et la décomposition de la famille. Contrairement à ce que l'on croyait, cette culture n'a pas donné plus de libertés individuelles mais a contribué de toute évidence à renforcer les solitudes.

La nature ayant, comme on le sait, horreur du vide, sur ce champ libre s'opère maintenant une croissance maligne des médias qui nous rendent consommateurs et payeurs. De surcroît, la diversité diminue. Devant la télévision, vous pouvez zapper entre cent canaux et en trouver soixante-dix où l'on s'égorge, les autres, à n'importe quel moment, affichant leur publicité pour tel ou tel détergent ou crème. C'est d'une pauvreté affligeante! Moi, je vais sur le canal des animaux et je regarde la vie des animaux en Afrique. C'est la seule échappatoire que j'ai trouvée en ce qui concerne la télé. Sinon, le plus souvent, j'ai envie de la jeter par la fenêtre. Elle a voulu maintes fois me donner l'impression que j'étais vraiment crétin, d'une simplicité d'esprit ou plutôt d'une absence d'esprit sidérante. Autrement dit, avec la télévision, nous cherchons à être moins isolés mais nous devenons plus crétins.

La question qui nous anime ici peut donc se résumer autrement : en vivant plus longtemps, ne va-t-on pas devenir encore plus crétin? S'il n'y a pas un choc, une prise de conscience, une réflexion sur toutes les autres alternatives possibles, on peut le redouter.

Une fois encore, cela passera par l'éducation de nos enfants. Qu'ils sachent que l'espace de l'inconnu est infini ! Qu'on ne cessera jamais d'apprendre ! Que le grand défi humain de demain c'est d'utiliser notre cerveau, alors que tout semble se liguer pour son emploi le plus restreint. Si ce n'est pas par la crétinisation télévisée, ce sera par autre chose, et nous deviendrons des serviteurs, des robots esclaves de machines compliquées. Lorsque les ordinateurs auront suffisamment de logiciels qui leur permettront de se parler entre eux et de générer des logiciels de connexion, là, nous aurons perdu le volant de notre vie. Nous deviendrons leurs lamentables marionnettes.

Dans une vie plus longue, il sera indispensable d'être un étudiant permanent, de vouloir encore et toujours apprendre et inventer. Personnellement, je me vois en permanence comme un écolier. Au moment où l'on cesse d'être étudiant, c'est fini : on devient vieux dans la tête !

L'exigence de la diversité

Nous restons esclaves de nos gènes de primates qui nous poussent à maximiser la dispersion des « soi », nos gènes ou nos idées, par la conquête des individus, des ressources, des territoires et de l'argent. Tant qu'il en sera ainsi régnera la violence. La partie « humaine et rationnelle » du cerveau, le néocortex, a très peu à dire dans nos décisions importantes. D'après les études récentes, il ne sert qu'à justifier rationnellement nos décisions irrationnelles. Elles-mêmes prises ailleurs et inconsciemment par la partie la plus ancienne du cerveau, celle que nous partageons avec les animaux, appelée l'hypothalamus.

Le néocortex n'est qu'un avocat ou un expert qui jouirait de sa grande réputation mais ne serait pas le vrai patron ! Il faut beaucoup travailler avec le psy pour tenter d'exercer un léger et éphémère effet sur le vieux et réel patron bien caché dénommé hypothalamus lequel d'ailleurs est assez simple d'esprit ! Mais, apparemment, il aime les bonnes choses : la musique et le sexe notamment...

Ainsi, quand nous parlons de la liberté d'esprit, de la conscience, ce n'est que « *wishfull thinking* », des placebos contre une impuissance réelle à pouvoir influencer nos sentiments par la raison. Ces sentiments sont ceux qui disent « oui » ou « non », et nous les suivons même quand, rarement, la raison n'est pas d'accord. De simples pansements sur la plaie de notre réel esclavage à nos gènes. Esclavage intellectuel à sa propre biologie. Pas de quoi être un fier humain ! Mais il est difficile, sinon impossible, de résister au fonctionnement de la réalisation du programme génétique qui nous a construits. Sauf évidemment à envisager de changer ce logiciel, peu à peu et avec la plus grande attention et la plus grande prudence.

On pourrait commencer par les choses simples : résistance aux maladies, puis longévité, etc. Oui, simples et à faible risque, parce qu'il existe déjà des individus favorisés et apparemment normaux qui détiennent ces propriétés. Mais ici encore, prenons pour résolution de laisser à nos petits-enfants jeunes à cent ans, bourrés de connaissances, de concevoir les changements importants et désirables de la nature humaine.

En attendant, saisissons-nous de cette grande question : l'évolution culturelle deviendra-t-elle plus puissante en tant que stratégie de la survie que l'évolution biologique darwinienne ? Car il existe au moins une faiblesse stratégique dans l'évolution darwinienne : elle est biologique, pas logique. Elle n'a pas d'intelligence, et encore moins de sagesse, elle est donc incapable d'émettre des prévisions. La sélection biologique se passe toujours ici et maintenant : elle élimine, plus ou moins rapidement, tout ce qui ne sert pas immédiatement. Rien n'est sélectionné ou préservé par l'anticipation de sa valeur ou de son utilité dans le futur. Elle élimine toutes les opportunités présentes qui auraient pu servir à vous sauver la vie ailleurs ou dans un futur plus ou moins proche mais qui n'ont pas d'application immédiate, ici et maintenant.

Autrement dit, la sélection qui sauve la vie maintenant peut être cause de la mort pour plus tard. Par exemple, la sélection des bactéries mutantes résistantes à l'antibiotique streptomycine permet à ces bactéries de crier victoire en présence de streptomycine, mais, en absence de cet antibiotique, ces « gagnants » d'un moment seront vaincus dans la compétition avec d'autres bactéries non résistantes à la streptomycine, moins spécialisées mais plus robustes et plus efficaces (elles poussent plus vite en absence de streptomycine). La perte de la diversité comme conséquence de la sélection des plus efficaces sur tel ou tel poste favorise, pour un temps, les spécialistes fragiles aux changements des conditions de la vie. Mais, si, comme l'écologiste anglais James Lovelock dans les années 1970, l'on considère la Terre entière comme un organisme vivant, intelligent et s'autorégulant, le Gaïa, alors on peut se tranquilliser en se disant : il n'y a pas de mal à ce qu'une espèce « métastatique » – l'espèce humaine – disparaisse. La vie continue !

Cette évidence biologique s'impose aussi, selon moi, comme un précepte de vie, une leçon pour notre propre évolution culturelle d'humain : l'anticipation de notre avenir exige que nous acceptions aujourd'hui la diversité, surtout celle qui n'est pas nuisible pour l'immédiat. Alors, les jeunes vieillards de cent vingt ans, une fois émancipés de l'esclavage biologique, auront-ils cette sagesse ? L'Américain Richard Dawkins, spécialiste mondialement connu de l'évolution, écrivait : « Nous sommes la seule espèce capable de la rébellion contre nos gènes égoïstes. »

À l'avenir, la sagesse devra procéder à l'établissement d'une méthode. Qu'elle soit large, créatrice de diversités et d'innovations de toutes sortes, pour éviter l'extinction de l'espèce ! On estime que plus de 99 % des espèces qui ont vécu sur la Terre ont disparu. Seule la diversité évitera l'extinction globale. S'il y a une homogénéisation, une reproduction par clonage, ce qui pourra tuer un individu pourra tuer tout le monde. C'est l'existence d'inégalités et de diversités au sein de l'espèce qui est, à la longue, la meilleure assurance-vie et source de survie de cette espèce.

Ce processus, diversité et sélection au sein de la diversité, n'est rien d'autre que la vie tout court. Il dure depuis quatre milliards d'années. Aucune société, banque ou entreprise, ne durera autant.

L'évolution culturelle a démarré très récemment. Elle va maintenant incomparablement plus vite que l'évolution biologique, mais une chose est sûre : les règles du jeu, la stratégie, sont très semblables. Il est bien plus rapide de générer la diversité des idées que la diversité des gènes mais, ensuite, la sélection des idées survient de façon aussi arbitraire que la sélection naturelle des gènes. Les gagnants créent et écrivent l'histoire.

Cette évolution culturelle a eu lieu durant des siècles et des siècles sur le champ très diversifié de milliers de langues, croyances, expériences, etc., toutes s'étant au départ manifestées dans un certain isolement géographique.

Aujourd'hui, on observe la « fertilisation croisée » des éléments utiles existant dans cette diversité. Mais si l'évolution culturelle démarrait maintenant, il y aurait beaucoup moins de diversité qu'auparavant à cause de la globalisation rapide qui s'empare de notre village planétaire. Les langages disparaissent plus vite que les espèces biologiques, et il y en a probablement un million de fois moins que d'espèces biologiques. Or, les barrières des langues assurent l'évolution divergente des idées et des cultures en prévenant leur mélange.

Voilà un autre sujet de réflexion : une fois bien mélangée par la technologie globalisatrice, une culture globale bâtarde pourrait anéantir la diversité des idées. Un préalable bénéfique pour la socialisation sur le modèle de la fourmilière. Mais gardons confiance, un seul cerveau humain créatif, motivé et libre de l'emprise de la fourmilière peut être une source inépuisable d'idées diverses et créatrices.

J'espère que nous serons capables de nous épargner un tel drame. Ce genre de menace qui nous guette prouve, là aussi, que ça vaut la peine de vivre longtemps afin de générer encore plus d'idées nouvelles. Il ne nous reste plus qu'à faire la « manip » : vivre deux cents ans et en observer l'effet sur l'évolution culturelle. Je prévois une explosion ! Mais les prévisions ne valent pas grand-chose si ce n'est le plaisir personnel de s'amuser à penser.

Je suis optimiste. L'échange et le mélange des idées et des cultures peuvent aller dans un autre sens que celui d'une culture globalisée au rabais. L'institution des campus universitaires est fascinante. Une telle diversité qui collabore ! Oxford, Cambridge, et puis leurs « dérivés » très puissants : Harvard, Stanford, Yale, Cornell. Quelle concentration de cosmopolitisme ! Des couleurs, des croyances, des intelligences aussi différentes et aussi mélangées ! Il semble toujours qu'un condensé du monde entier s'expose sur ces campus. Ça mijote, ça se parle, ça réfléchit, ça échange les expériences. Pourquoi donc nos écoles et lycées ne s'inspirent-ils pas de cette façon d'exister et d'apprendre ? Il nous faudrait peut-être en fait moins de philosophes, mais plus de « pensologues ». Les philosophes ne sont pas suffisamment libres d'esprit, on a le sentiment qu'ils passent leur temps à se citer les uns les autres. Les pensologues seraient capables d'analyser les processus de la réflexion et d'aller sans cesse sur des chemins nouveaux, quitte à se retrouver dans des impasses et d'être contraints de faire demi-tour.

Mais, un peu comme avec les changements des vitesses de la voiture, il faudrait d'abord aller au « point mort », au neutre, avant de repartir dans une autre direction. Quand on va dans le mauvais sens, il faut savoir s'arrêter. L'humanité, elle, ne pourra jamais faire de marche arrière. Elle peut cependant faire le pas de côté, s'accrocher à la « pensée latérale » d'Edward de Bono pour mieux regarder ce qui se passe, juger des dégâts et pouvoir redémarrer dans un autre sens.

Nous sommes maintenant très nombreux. Nous partageons le même ensemble de gènes et le même espace car nous voyageons librement. Nous faisons des enfants librement entre les différentes ethnies. Ce faisant, nous partageons les ressources génétiques existantes de six milliards et demi de personnes, dont un tiers sont fertiles. Nous partageons complètement, librement, les fruits de l'évolution culturelle : aux États-Unis, en Chine, au Japon, en Europe. Ainsi avons-nous déjà créé le grand campus mondial, même si nous avons laissé beaucoup de peuples de côté. En tout premier lieu l'Afrique, berceau de notre humanité, singulier clin d'œil de l'histoire.

4

Vérité et croyance

La leçon de mon histoire

Science et Dieu, vérité et croyance, bon médicament ou placebo ? Voilà des couples improbables, ou plutôt des couples qui, certainement, ne finiront jamais dans le même lit ! « *Strange bedfellows* », diraient les Anglais. Commenter la relation entre croyances non éprouvées et science nécessite un préalable. Quand il m'arrive de réfléchir sur des thèmes et des idées compliqués (compliqués signifiant que je ne les comprends pas même s'ils sont *a priori* et pour d'autres assez simples) et « philosophiques », je sens l'approche du danger.

D'innombrables idées, auxquelles j'ai déjà été exposé par hasard, tentent de m'envahir. Chacune me donnant l'impression de « vouloir » infecter mon cerveau, survivre et grandir en moi pour occuper le maximum d'espace. Il s'agit là d'une sélection et d'une évolution darwinienne des idées dans un seul cerveau, équivalente à celle de la survie et de l'évolution adaptative des virus et des bactéries dans notre organisme.

Or, je veux me garder de toute infection par les parasites, qu'ils soient biologiques ou cognitifs. J'aimerais avoir un système « immunitaire » mental qui discrimine entre une infection désirable par l'information utile et une infection par un parasite mental qui va empoisonner ou détruire ma réflexion. L'effet pathologique des parasites mentaux revient à rendre esclave ses porteurs, ils sont prêts à agir contre ses propres intérêts et les intérêts de ses enfants.

L'immunité contre les parasites mentaux ne peut que s'acquérir à la source même de ces parasites potentiels. Il s'agit de l'éducation et de la culture, s'inscrivant à la suite de la sélection darwinienne qu'offrent l'expérience de la vie et l'esprit rationnel et critique.

Cette immunité contre les parasites mentaux est personnelle et imparfaite : c'est elle qui fait qu'on trouve certaines idées répulsives. Ces idées, si elles sont fermement repoussées, ne représentent aucun danger. Mais, une fois qu'elles ont franchi cette barrière et sont bien installées dans notre cerveau, elles s'accrochent et il est très difficile de s'en débarrasser. Leurs «antibiotiques» marchent rarement car on ne change pas d'avis. En règle générale, il y a fort peu de chances d'assister à une décrue de ces idées parasites! Pour une raison fort simple : rester fidèle, sans plus y réfléchir, à ses croyances, ses idéaux, sa politique, est considéré chez nous comme une vertu.

Les idées parasites font souvent l'«auto-stop» ou la «coévolution» en sandwich avec des idées utiles, ce qui explique la robustesse des parasites mentaux : on considère comme un grave défaut de changer d'avis sur quelque chose d'important, telle la politique ou la religion. L'apprentissage continu n'est pas une vertu chez nous!

Le plus grand danger provient des idées qu'on aime, qu'on aime trop, auxquelles on croit tellement qu'on ne ressent aucun besoin de les tester rigoureusement si elles correspondent à une vérité. Loin de moi l'idée de condamner et de disqualifier ceux qui manifestent une foi ou un idéal quelconque. En revanche, il est dommageable, voire dangereux pour tout le monde, que nombre d'entre eux n'éprouvent jamais d'une manière ou d'une autre le pourquoi et le comment, la validité en un sens de leurs croyances.

Certains scientifiques sont croyants – dont je ne suis pas, même si je peux, à l'occasion, apprécier la valeur esthétique et sociale de certains rites et rituels. Ce qui me semblait le plus beau quand j'étais gosse sur ma petite île croate de pêcheurs, c'était lorsque ma grand-mère paternelle me prenait par la main pour m'emmener à l'église le dimanche, en cachette de son propre fils, le communiste partisan qui allait à la pêche ce jour-là. S'y retrouvait une population toute simple, qui, la semaine, se tuait au travail, mais qui, le dimanche, tenait à se présenter dans cette église avec ses plus beaux habits. Les femmes pomponnées, les hommes rasés. Il n'était plus alors question de travail et de survie. Il faut peut être imputer cette croyance à l'idée suivante : la peur et le besoin de se raccrocher à quelque chose devant notre insondable ignorance. La science, en effet, reste face à un espace infini d'ignorance. Et les scientifiques disposent sans doute de la meilleure appréhension qui soit de l'étendue de notre ignorance.

Pour en revenir à notre sujet, comment commencer à se libérer de l'esclavage de nos gènes de primates? À mon avis, là se situe le plus ambitieux des projets pour notre humanité. Je ne vois pas mieux que la recherche comme méthode – le processus de l'acquisition des connaissances qui constituent la science –, seul moyen disponible de se libérer des croyances infondées. Il n'y a pas de vérités scientifiques qui varient d'après la géographie. Si elles varient, alors ce ne sont pas des vérités.

Entre-temps, je nous invite tous à nous entraîner à dire : «Je ne sais pas.» Apparemment, c'est très difficile, et pourtant, quelle libération! On ne pourra jamais tout savoir. Et vouloir tout savoir, vouloir devenir Dieu, ce n'est pas un rôle pour les hommes.

Finalement, toute cette discussion sur des sujets complexes se trouve, à l'heure actuelle, à court d'expérimentation. Je ne peux donc pas savoir lesquelles des idées que j'ai exposées, mes idées gratuites, sont aussi des parasites égoïstes. Ainsi, sans preuve solide ou démonstration objective, je devrais vous dire : ne croyez sans preuve rien ni personne, donc ne croyez pas à ce que je dis non plus!

C'est cela être un *Homo sapiens*.

Mon grand maître auquel j'ai déjà ici fait référence, Matthew Meselson, de Harvard, n'a jamais oublié, au sommet de sa carrière scientifique, dans la paix de son pays, les États-Unis, que la priorité des priorités, par rapport à toutes nos recherches, aussi élégantes qu'elles fussent, était de ne jamais abandonner la réflexion sur le danger de la guerre et des «croyances» nationalistes.

Si j'avais néanmoins été tenté d'oublier ce précieux enseignement, les événements qu'a connus dans les années 1990 mon pays natal, la Croatie, m'ont marqué à jamais. La déception fut totale. Énorme. Je ne pensais pas vivre un jour cette douleur de mon pays, de mon peuple. Avec le sentiment d'une totale impuissance. J'étais à Paris et je ne voyais aucune raison essentielle de retourner à Split. Pour quoi faire? Expliquer aux gens qu'ils étaient infectés par les idées parasites qui allaient ruiner leurs vies et celles des autres ? C'était trop tard. Et ça peut recommencer...

Je vis avec une femme que j'adore. Elle est, par hasard, née en Serbie. Moi je suis, par hasard, né en Croatie. Quelle importance, nous sommes-nous toujours dit ? Nous n'avons pas choisi. Je ne voulais pas être la victime de ce hasard, ni être l'esclave d'une tradition locale, aussi beaux que soient les paysages, les talents des gens et les légendes. Je n'ai jamais voulu être esclave de quoi que ce soit.

5

Chercheur : un métier unique

Le choix du cœur

Pourquoi ai-je donc choisi de m'établir en France ? Je ne cacherai pas que souvent cette question m'a été posée. En trente ans de carrière, les offres de déménagement n'ont pas manqué. Harvard, Princeton, NIH (Research Triangle Park), Imperial Cancer Research Fund à Londres, les universités de Cologne, Lausanne (Centre des recherches sur le cancer), la direction d'instituts en Allemagne (Freiburg), en Suisse (Zurich), j'en passe et des meilleurs, m'ont sollicité mais, en revanche, on ne m'a jamais offert un poste dans le pays de mes origines, la Croatie.

Je n'ai jamais voulu déserter la France. Ce pays demeure toujours à mes yeux un grand pays. La France est pour moi comme une personne sympathique et compliquée, avec ses qualités et ses défauts, certes, mais avec laquelle je peux facilement communiquer. Elle est riche de ses contradictions. Riche aussi de ses traditions qui lui font parfois du mal mais qu'elle n'entend pas abandonner. Pour n'en citer qu'une : cette culture omniprésente du fonctionnariat qui a pour résultat de considérer des fautes ou des faux pas beaucoup plus pesants que

153

toutes les initiatives positives et productives qui peuvent surgir. Si bien que la leçon qu'on en tire est que la meilleure solution est de ne rien faire. Il existe toujours dans ce pays, d'un côté, une réelle intolérance à l'encontre de ceux qui sont imprévisibles et, de l'autre, le besoin, lui aussi bien ancré, de s'amuser par l'imprévisible.

Le « système » français est capable de se montrer bête comme tout : un ministère m'a octroyé en 1983 un poste de fonctionnaire à vie, mais il a fallu trois ans à un autre ministère pour me donner la permission de séjourner en France. J'ai perdu beaucoup de jours et de jours de travail en faisant la queue dans les bureaux.

Mais j'aime le savoir-vivre des Français. Sans la France et les Français, je crois bien qu'on mourrait d'ennui en Europe. Et chacun sait qu'on s'y ennuie déjà beaucoup. On comprendra ainsi qu'entre un « american way of life » et le savoir-vivre français, je vote pour le second. On vit bien, on vit plus longtemps en France, et je l'apprécie... en connaissance de cause.

Pour tout dire enfin, j'aurais mauvaise grâce aujourd'hui à me plaindre. Je dois bien admettre qu'on a supporté ma personnalité et mes bêtises. Au CNRS, on m'appelait « Radman l'ingérable » et ce, malgré toutes mes justifications pour faire comprendre que je ne suis pas là pour être géré mais pour faire de la recherche... Mes confrères à l'Académie des sciences tolèrent mes absences. Mes collègues à la faculté de Necker rient quand je suis en retard... d'une journée. Le doyen Philippe Even a fait du « lobbying » deux ans durant pour obtenir mon inscription au titre de professeur de médecine, avec un salaire suffisant pour tenir à distance les huissiers de justice. L'amitié de mes collègues de la faculté et du personnel de l'Inserm m'a « scotché » à la France. Et cette amitié-là continue de m'émouvoir.

Malgré tous les ponts d'or qu'on a pu m'offrir, elle a fait de moi, je pense, un véritable patriote qui continue de nourrir beaucoup d'ambitions pour la France.

La place du chercheur dans la société

Vous attendez maintenant que je vous dise qu'il faut donner un rôle plus important aux chercheurs dans la société. Pas du tout. Je voudrais qu'on nous laisse tranquillement faire notre travail et que les politiques et les hommes d'affaires ne nous dictent pas notre conduite pour que nous soyons utiles à la société. Sinon, je serais tenté de leur demander à mon tour comment eux-mêmes pourraient être plus utiles à la société, et là-dessus, j'ai quelques idées.

Les bons chercheurs sont, en principe, les professionnels de la réflexion exploratoire, recherche à la fois créative et rêveuse, mais aussi analytique et rigoureuse. Il s'agit d'abord de choisir et imaginer le projet de recherche puis de tester drastiquement ce qui correspond à cette vérité. Vérité, évidemment, toujours virtuelle, sous la forme d'images mentales. Mais, quand, à partir de ces images, on fait des prévisions spécifiques qui se réalisent, alors, on peut considérer que c'est une preuve de la qualité de nos connaissances « virtuelles ».

Le boulot des chercheurs devrait surtout consister à faire évoluer les modes de réflexion adaptables à la quête des solutions de problèmes jamais posés auparavant. Voilà une activité professionnelle vraiment unique. Pourtant, traditionnellement, on considère le scientifique comme un technicien qui s'occupe de détails éloignés des réalités de la vie de la majorité des gens...

La politique est un univers à la fois proche, sur le plan créateur, et très différent sur le plan de la rigueur et de la méthode : on peut créer des réalités qui n'ont jamais existé auparavant, avec ou sans respect de la nature humaine, que l'on ne connaît pas toujours suffisamment en tout cas. Va-t-on créer le bonheur ou le malheur humain ? Quelle responsabilité ! Alors, les rois et les présidents se sont entourés de théologiens, de philosophes, d'écrivains..., souvent bons compagnons de salon, mais souvent incapables d'explorations en vue de trouver les vérités, ou d'analyser les effets compliqués des changements. Les chercheurs du passé, bien contents qu'on les laisse tranquillement faire leur travail, se sont éloignés du pouvoir et ont ainsi gagné une certaine liberté. Mais, entre-temps, a surgi un très grand nombre de chercheurs, des centaines de milliers dans certains pays, des millions dans le monde ; la recherche coûte de plus en plus cher, et il n'y a plus assez d'argent pour tout le monde.

Le résultat en est une nouvelle aliénation du chercheur. Au risque de me répéter, je suis convaincu que les dégâts causés à la science et à la productivité scientifique du fait de la contamination de la culture scientifique par la culture corporatiste sont considérables. On ne fait pas de découvertes à la carte, à partir des projets rédigés par ceux qui connaissent seulement l'application lucrative de la recherche.

Finalement, à mon avis, la contribution la plus profonde et intéressante de la recherche n'est pas industrielle mais culturelle. C'est un métier unique qui suscite de nouvelles réflexions ou de nouvelles méthodes pour pénétrer l'inconnu. Les concepts et les méthodes changent continuellement en fonction de l'accroissement des connaissances. L'art d'expérimenter devrait

156

entrer dans toutes les activités humaines : une façon de se mettre d'accord sans devoir s'affronter à grands coups de croyances.

La science dit que la vie est incertaine et compliquée à comprendre, et admet que le travail scientifique avance lentement et découvre péniblement les vérités, pas à pas. De ce point de vue-là, le travail d'un chercheur ressemble plus au travail d'un peintre ou d'un sculpteur qu'au travail d'un industriel ou d'un technologue. La science est une langue universelle qui, à travers les cultures variées et les différentes traditions, nous permettra de nous comprendre. Il n'y a pas de malentendus qui perdurent entre les chercheurs des différents pays. Par la nécessité de découvrir et fournir les preuves, le bon chercheur est aussi un « pensologue » qui ne cesse d'apprendre. Les politiques ont tort de ne pas s'inspirer de leur art, celui d'analyser et de concevoir les projets du futur, munis de la prudence acquise par les « brûlures » cuisantes que de nombreux échecs leur ont infligées. Mais, comme dans d'autres professions, les bons chercheurs représentent une minorité. C'est pour cela qu'ils ne peuvent pas être les seuls arbitres de l'application des résultats de leurs recherches. De surcroît, même un mauvais chercheur n'est pas totalement à l'abri du succès.

Le chercheur face à ses doutes

À me lire, on pourrait avoir l'impression que les chercheurs n'ont aucun souci, qu'ils sont un peu gonflés d'orgueil, prêts à faire des commentaires sur n'importe quoi... Mais je vous ai prévenus dès le début : ce livre est un bavardage détendu, sans prétention, que j'espère léger et buvable comme un bon cru de Bourgogne.

Au quotidien, les bons chercheurs ne font que douter. Et si je me trompais, et si ce n'était pas du tout ça ? Suis-je suffisamment émancipé de mon hypothèse pour voir les résultats tels quels, entendre ce qu'ils me disent sans aucune interférence personnelle ? Suis-je suffisamment malin pour les comprendre ? Peut-on les comprendre en l'état actuel des connaissances, etc. ?

Mieux vaut ne rien écrire, quitte à avoir du mal à justifier les quatre dernières années de travail devant la commission de l'Inserm, plutôt que de se tromper une seule fois. Les échecs inévitables font partie de la recherche, mais une publication erronée ne supporte pas d'excuse. Car les chercheurs ne pleurent pas sur un collègue qui vient de perdre son laboratoire. S'il n'est pas un bon ami, cela signifie toujours un rival en moins... C'est au moment de la rédaction de l'article pour nos grandes revues scientifiques – qui sera certainement lu par l'ensemble de nos compétiteurs dans le monde entier – que l'on se sent sur le feu. Je peux avoir publié cent articles importants, s'il en est un d'erroné, ma carrière sera enterrée à jamais. « Ah ! c'est le mec qui a dû retirer son article... Laisse tomber ! » À cause de cela, nous sommes en permanence habités par le doute dans notre existence, jusque dans notre vie intime. « Je pense donc je suis », affirmait Descartes. « Je pense, donc je doute de ce que je pense, donc je suis un chercheur », pourrions-nous dire, mes innombrables collègues et moi. Sans oublier d'ajouter : « Mais c'est bien cela qui me plaît et me pousse toujours et encore en avant. »

Davantage de considérations éthiques

J'ai l'impression que, quand on prononce le mot « éthique », on perd instantanément tout sens de l'humour. On pense au politiquement correct. Quand les gens s'ennuient, ils perdent l'intérêt pour le sujet. Alors, au lieu d'une participation active du public aux débats sur un élément clé de la civilisation – les règles du jeu de la vie sociale –, on laisse les divers comités d'éthique s'en occuper. Et on s'ennuie à lire ce qu'ils ont à dire car il s'agit trop souvent d'interdits teintés de tous les préjugés issus des croyances ou des religions.

Jamais on n'a vu un comité d'éthique se poser avec courage cette question : qui est responsable de ne pas avoir fait ce qui aurait pu assurer une meilleure vie à nos enfants ?

Pour moi, l'éthique n'est pas seulement la responsabilité de faire ou de ne pas faire quelque chose de nouveau, mais davantage une nécessité de changer nos habitudes et traditions inhumaines.

J'ai déjà présenté mon point de vue sur l'éthique : laisser le monde à nos enfants en meilleur état que celui que nous-mêmes avons trouvé. L'éthique est pour moi un ensemble de règles qui constituent la force positive de la cohésion sociale : la solidarité. C'est quelque chose de personnel : ne pas avoir envie de faire du mal aux autres, contemporains ou futurs, ne pas exploiter les autres. Voyons en quoi le projet de doubler la durée de la vie humaine pourrait faire du mal aux autres ? Seulement s'il y a des « autres » à qui cette chance serait inaccessible. Une injustice suprême concernant le plus important des capitaux : le capital-vie.

Une véritable éthique, opposée à l'hypocrisie, demande la transparence de nos idées, projets et activités publiques. C'est avec ce souci de transparence que j'ai essayé de présenter, sans autocensure, les possibilités d'un changement assez radical de la vie humaine par l'allongement de la vie. Si l'on parle publiquement de cette possibilité, si l'on se prépare intellectuellement et émotionnellement à cette éventualité de l'allongement de la vie avant de pouvoir la réaliser, on risque moins l'interdit, l'aveuglement, le scepticisme entretenus par la peur.

Les civilisations qui ont eu systématiquement peur d'innovations ont pris du retard et ont fait payer à leurs enfants le prix de ce retard. Mais combien d'interdits ont sauvé la vie des peuples ou des civilisations ? Peut-être y en avait-il beaucoup, mais sans expériences de contrôle, il est difficile ou impossible de le savoir.

Finalement, à titre d'exemple des exercices utiles pour les comités d'éthique, voici une question que je me pose. Il y a seulement deux siècles, la moitié des enfants ne survivaient à leur dixième anniversaire. L'autre moitié survivait, dans la même famille. Donc, maintenant que cette mortalité infantile est quasi éliminée dans les pays relativement riches, la sélection naturelle – et cruelle – ne « purifie » plus le patrimoine génétique de ses faiblesses génétiques. À ce fardeau, on rajoute des millions d'enfants conçus sans la sélection primaire au cours de la conception naturelle.

Seule une amélioration humaine de son propre génome (oui, par la modification génétique) pourra pallier, à long terme, la dégradation probable ou inéluctable de son patrimoine génétique – conséquence de la diminution de la sélection naturelle. Sinon, on a décidé tacitement que les compensations (« prothèses ») électroniques et chimiques (dont on aura de plus en plus besoin) sont plus désirables. C'est une décision délicate car le contrôle de ces « prothèses » restera dans les mains des institutions, et rendra le destin de l'individu totalement dépendant des institutions. Concrètement, si le système social ne change pas, et que ma famille n'a pas suffisamment d'argent, le propriétaire de mes « prothèses » vitales est mon propriétaire ? Personnellement, ça me rend mal à l'aise. Je vous laisse ici à vos propres réflexions sur nos responsabilités face aux générations futures.

Conclusion

Éloge des erreurs et du gaspillage

C'est en réfléchissant au fonctionnement du système immunitaire que j'ai commencé à voir clairement comment nos logiques sont insuffisamment adaptées à la réalité du développement culturel et économique. Notre système immunitaire est plus malin que nous, car il est capable de préparer les solutions aux problèmes avant qu'ils n'apparaissent, c'est-à-dire qu'il est capable de trouver les réponses aux questions qui ne sont pas encore posées! La civilisation humaine n'a pas su développer quelque chose de comparable à l'efficacité de ce système qui sait s'adapter au futur imprévisible. Comment cela marche-t-il? Avec quelle stratégie?

La stratégie du système immunitaire est la suivante : le gaspillage dans la production des centaines de millions d'anticorps différents dont une infime minorité va être utile, sauf qu'il est impossible de savoir à l'avance laquelle. La majorité des gens portent déjà les anticorps contre le mutant du virus d'influenza (la grippe) qui va débarquer l'année prochaine, ou dans dix ans. Or, cette ou plutôt ces mutations du virus ne sont pas encore survenues! Elles n'existent pas encore, mais l'anticorps pour les combattre, oui. Peut-être pas le plus efficace, mais tout de même...

Simplifions : comment s'assurer d'avoir le ticket gagnant avant le tirage du Loto? Il faut une grande diversité de tickets. Cela revient cher, mais si le ticket gagnant signifie la survie, alors rien n'est trop cher. Chaque homme ou animal dont le système immunitaire a tenté d'économiser en synthétisant moins d'anticorps a payé cette économie, lors d'une infection quelconque, en perdant la vie.

Mais le nombre de tickets dépend du nombre de variantes pour que la chance en trouve au moins un qui ait la solution! Pour cela, le système immunitaire produit exprès une très grande quantité d'erreurs – mutations – ciblées, évidemment seulement au sein du gène d'immunoglobuline. Ainsi, le nombre des variantes d'immunoglobulines au cours de la vie de chaque personne se compte en centaines de millions.

La leçon du système immunitaire pour nous, c'est qu'il nous faut créer et tolérer la diversité des idées, à partir de laquelle seront sélectionnés les projets, dont un ou plusieurs pourrait aboutir à une découverte utile.

Autrement dit, pour s'assurer qu'il va y avoir la solution à n'importe quel problème, il faut préparer le plus grand nombre de solutions. Il faut «gaspiller»! Mais ce gaspillage, c'est finalement encore de l'assurance-vie! Si le nombre de solutions potentielles est suffisamment grand, il y aura au moins une solution à chaque problème qui va survenir. L'assurance-vie par «gaspillage» – intéressant comme concept!

C'est par le foisonnement, la débauche d'énergie et donc, en un sens, le gaspillage que la vie sur terre a pu survivre quatre milliards d'années par la création de millions d'espèces différentes. Cela coûte, car on doit sacrifier beaucoup d'espèces lors de la sélection (et on ne sait pas à l'avance lesquelles), mais grâce à cela on a toujours la Vie !

Au niveau des génomes, les erreurs de copie de l'ADN génèrent la diversité génétique qui est l'assurance-vie des espèces. Une copie parfaite où ne se glisserait aucune erreur gèlerait la diversification et mènerait au clonage d'individus identiques. Dans ce cas, lorsqu'un individu meurt, tous meurent. Ce que nous n'aimons pas, bien entendu, c'est l'idée que l'utilité de la diversité se manifeste au moment où cette diversité est réduite par la sélection : la mort d'une partie de la diversité. Nous savons bien que nous pouvons être l'un des perdants de la sélection, et nous ne pouvons que frémir lorsque se profile cette éventualité de mort et d'extinction. D'où le thème principal de ce livre : comment éloigner la mort ?

La punition de l'échec et de l'erreur dans la recherche est injuste, car l'échec est aussi une leçon profitable. Là où il y a succès il y a eu échec. Là où il y a de nombreux échecs il y a souvent du succès ! Les États-Unis l'ont beaucoup mieux compris que nous. En Europe, nous en sommes à tirer fierté de chaque consigne de précaution, de chaque mesure castratrice décourageant de tenter des choses nouvelles. Moyennant quoi, cette Europe est en train de rater tous les grands rendez-vous.

Mais il faut que les échecs soient diversifiés pour qu'ils soient utiles et productifs. C'est cela, je le répète, que nous devons viser : le foisonnement des idées, générateur de succès même s'il est générateur d'échecs.

Dans cette optique, l'enseignement du business ou de l'économie par l'étude des « cas » ne sert pas à grand-chose. Bill Gates, Google Boys, etc., ont connu le succès parce que des milliers d'autres ont échoué et que personne ne pouvait savoir à l'avance qui serait le « Gates ».

C'est le processus qui compte : la diversité par erreurs ou la créativité (gaspillage) et la sélection instantanée qui ne se reproduira jamais. Ainsi, faire des prévisions intelligentes, puis les empêcher d'être explorées pour des raisons pécuniaires, c'est la meilleure façon d'éviter à la fois d'échouer et de gagner.

Plus encore, c'est quand cela va mal qu'il faut gaspiller un maximum. C'est ce que font les bactéries : face au danger de mort, elles activent un système SOS (que j'ai conçu en 1970) qui produit exprès les erreurs dans l'ADN – les mutations –, augmentant ainsi la chance qu'une mutation qui lui sauvera la vie se trouve parmi elles. La majorité des mutations seront neutres ou nocives, ce qui ne pèse pas lourd face à la menace d'une mort certaine.

Nos réactions psychologiques, par exemple épargner quand il n'y a pas assez d'argent, ne sont pas nécessairement logiques car elles nous mènent droit à notre perte. Ce n'est pas de la philosophie, mais la réalité de l'évolution (biologique ou culturelle).

C'est parce qu'on ne comptabilise pas les morts dans l'évolution biologique ni les échecs dans la croissance économique qu'on rate la perception du processus qui génère le succès biologique ou économique. Ce processus du succès nécessite de la diversité, générée par un apparent gaspillage, et se paie par des échecs au cours de l'arbitrage des sélections hasardeuses. « L'homme raisonnable s'adapte au monde, l'homme déraisonnable s'obstine à essayer d'adapter le monde à lui-même. Tout progrès dépend donc de l'homme déraisonnable », a écrit George Bernard Shaw.

Vive l'homme déraisonnable, donc.

Sachons gaspiller et n'ayons pas peur de l'échec, c'est le secret du succès !

Osons. Tel est mon avis.

Table

Cet ouvrage a été imprimé en France par

BUSSIÈRE

à Saint-Amand-Montrond (Cher)
en juin 2011

La photocomposition de cet ouvrage
a été réalisée par
GRAPHIC HAINAUT
59163 Condé-sur-l'Escaut

N° d'édition : 14725 – N° d'impression : 111186/1
Dépôt légal : mai 2011